# 这样吃不便秘……

邱志杰 ◎ 著

现代出版社
MODERN PRESS

**图书在版编目(CIP)数据**

这样吃不便秘 / 邱志杰著. —北京：现代出版社，2009.10
ISBN 978-7-80244 -579-6

Ⅰ.这... Ⅱ.邱... Ⅲ.便秘—食物疗法 Ⅳ.R247.1

中国版本图书馆CIP数据核字（2009）第169287号

## 这样吃不便秘

作　　者 / 邱志杰
责任编辑 / 陈世忠
出版发行 / 现代出版社
地　　址 / 北京市安定门外安华里504号
邮政编码 / 100011
电　　话 / 010-64267325　010-64245264（传真）
网　　址 / www.xiandaibook.com
电子信箱 / xiandai@cnpitc.com.cn
印　　刷 / 三河市祥达印装厂
开　　本 / 710×1000　　1/16
印　　张 / 15
版　　次 / 2009年11月第1版　2009年11月第1次印刷
书　　号 / ISBN 978-7-80244 -579-6
定　　价 / 26.80元

# 前　言

从古到今，饮食排便与人类的生活就密不可分，正所谓"民以食为天"。人们通过改善饮食结构，膳食平衡，来帮助身体健康，而不合理的饮食却同样是疾病的主要根源。

如今的时代是一个经济快速发展的时代，人们的生活水平越来越高，吃的种类也越来越多，人们对饮食的要求不再停留在怎样填饱肚子的问题上，而是希望通过合理选择食品以满足肌体的各种营养需要和各种口味上的需要从而获得健康。健康必将成为人们最为关心的热点之一。可是如今很多人被便秘困扰着，虽说便秘不是什么大病，但却十分痛苦，且可导致一些并发症。便秘是危害人们健康的重要因素。随着人们饮食结构的改变及运动量的减少，患病人数逐年增多，它已成为诱发内科疾病、糖尿病、胃下垂、心肌梗死、脑卒中患者、食管疾病、急性阑尾炎、肛裂、痔疮、直肠癌、妇科疾病、性生活障碍的重要因素。人们在关注健康的同时，也对便秘给予了特别的关注。考虑到导致便秘原因的复杂性、治疗的困难程度和病人的困惑焦虑，作者特意撰写这本令人振奋的、改善便秘的书，旨在帮助读者走出困境，改善便秘的状态。

俗话说"是病三分治七分养"，这里说的"养"在意义上等同于"家庭康复"。人们总是根深蒂固地认为，便秘不是什么大问题，这种观念是错误的。这并不是物质文明提高导致的，而是我们的思想观念、健康意识跟不上而引起的。便秘的罪魁祸首是缺乏纤维素，因此，增加饮食中纤维素的含量，也是本书给习惯性便秘朋友的首要建议。研究表明，有很多便秘者通过摄取纤维素比如芹菜等食物受益。

本书通过粪便的形成与正常排便过程，分析了便秘的病因、分类、易患人群及危害性，重点推荐了对症饮食、平衡健康。根据便秘者的生理特征，合理安排饮食，运用不同的饮食进行安全、健康、有效地食疗。本书对影响便秘的多种饮食进行了详细的分类以及分析，介绍食物对便秘者的各种影响，力求以最明了的方式向广大读者提供全面而周到的食疗指导，希望读者朋友能从中得到防病治病的有效方法，真正摆脱便秘的痛苦，享受健康的生活。

# 目 录
## contents

## 不便秘的实践

## 附 录

# 便秘，人体不能忽视的现象

■ 不论是最近才出现便秘还是一直就患有便秘的人，往往认为"不过是便秘而已，没什么大不了的"，所以不采取任何措施来治疗。其实，便秘也是病，如果不及早解除，有可能发展成严重的疾病。

# 认识和了解便秘

## ■ 从便便说便秘

便秘是排便次数明显减少,每2~3天或更长时间一次,无规律,粪质干硬,常伴有排便困难感的病理现象。2004年在重庆召开的全国便秘基础与临床新技术演示研讨会上,专家将国内外关于便秘的定义做了概括:"我们认为便秘的概念因人而异,可概括为,在正常饮食情况下,大便太少、太硬、太难以排出,症状持续一段时间,令患者感觉不适。"简单地讲可用3个字来形容:少、硬、难。"少"是指排便次数的减少或排便量减少。正常情况下,每个人的排便次数可以是每日2次至每周3次。按照生理规律,食物残渣(即粪便)的排出要在进食后24~72小时,所以一般认为,3日以上不排大便的状态就叫便秘。"硬"是指排出的粪便过硬(粪质坚硬、干硬便),如果有粪便过硬,即使排便次数正常,也应考虑为便秘。"难"是指排便困难、排便费力。其中粪质过硬和排便困难应为便秘的必要条件，而排便次数应根据个人情况而定，有极少数人的排便间隔时间超过3天，但没有任何不适，不需要就诊治疗，也不需要服用泻药。严格来讲，这种人不能认为有便秘存在。

便秘的发生与您的生活态度是密切相关的。引起便秘的原因是有代表性的。如果这些因素相互交织，就会导致顽固性便秘。

正确认识您现在便秘的症状，对于今后的治疗和预防是至关重要的。特别是使用治疗便秘药的情况，对于使用次数和量的了解也是必要的。看专科医生时，要把您的症状有重点地详细向医生讲明。

### 粪便的自我观察

大便作为排泄物，往往让人厌恶。尽管如此，通过观察大便，可以让您了解自己的身体状况，同时它也是一个极其重要的情报源。所以您还是应该从各个方面来观察一下自己的大便。

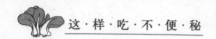

## ■ 便秘是一种复合病

便秘不是单一的一种病，它往往是许多疾病的症状之一。便秘的持续时间有短有长，程度有轻有重。其形成的原因，除了不合理的饮食搭配，不良的排便习惯；或忽视便意，滥用泻剂；或环境、排便体位的改变，妊娠、老年期营养障碍，结肠、直肠、盆底器质性病变及功能性障碍外，各种脑部疾患、肿物压迫、脊髓病变、多发性硬化以及精神或心理障碍、药物因素、内分泌异常及代谢性疾病、结缔组织性疾病等，都可以引起便秘。有时，便秘还是肿瘤唯一的临床症状或信号。

便秘的发生可以是先天的因素所致，如先天性巨结肠、肛门先天性闭锁等，也可以是后天的疾病因素所引起，如肠易激综合征（便秘型）、肠道菌群失调、铅中毒等。便秘可以是肠道本身的器质性病变和功能障碍，如结肠运输功能缓慢、慢性肠套叠、大肠癌、结肠癌、直肠癌等引起，也可以是肠道以外的疾病，如脑部肿瘤、妇科肿瘤、甲状腺功能减退等内分泌疾病引起。所以，便秘的原因很复杂。

因此，发生便秘又找不出适当的理由能够解释，或采取了一些诸如饮食调理、作息时间调整，以及消除了常见的一些因素后尚不能缓解便秘（或便秘情况较严重，或便秘持续时间较

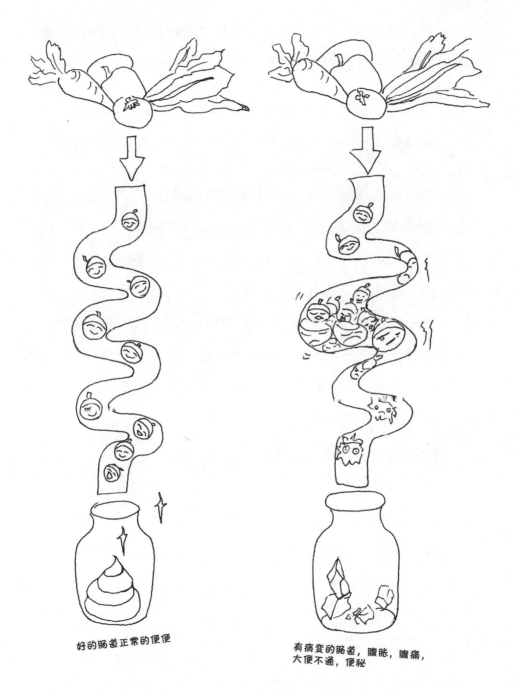

好的肠道正常的便便

有病变的肠道，腹胀，腹痛，
大便不通，便秘

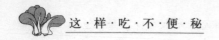 

长）者，应该及时去医院检查，找出引起便秘的原因，以免延误原发病的诊治，及时得到正确的、有效的治疗。

## ■ 大便的形态

因便秘而烦恼的人（能排便或不能排便），仔细去观察大便形态的好像并不多见，最多也只是判断一下便干还是便稀，这是远远不够的。了解大便的形态，明确您的身体状况，对于您的健康是不可缺少的。

您可以从大便的形态、大便的粗细长短、大便的颜色、可疑的大便四个方面，来分析大便所带给您的信息。

仔细观察一下您的大便，确认它属于何种类型。

1.硬便：小物体滚动貌（羊屎便）。

像栗子形的大便。这种类型的大便非常坚硬，排便时非常痛苦。大便变硬的原因，是因为在大肠内停留时间太长，水分过多地被吸收。在便秘的人群中，多数呈典型硬便。

o (っ_ぅ) o
栗子状？
咩～我是羊!!

2.香蕉型（普通便）。

像香蕉形状的大便，是指从直肠顺利排出的大便，也是消化吸收、排泄顺利进行的证据。

3.牙膏型（软便）。

像盘踞样的粗便，和香蕉型便一样是健康的大便。但是，过多摄取脂肪和绿黄色蔬菜时会导致消化不良，这时的大便细长但不坚硬。

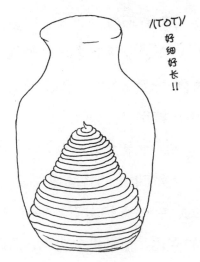

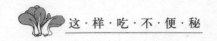

4.水样便。

即稀便（腹泻）。腹部受凉、暴饮暴食、消化不良时，可引起暂时性稀便。只要经休息和热敷，就会恢复正常。但是，引起腹泻是有原因的，应引起重视。

其次，我们还要察看一下大便的粗细与长短，由此可知道大便的量。

水分太多了----!!

## ■ 大便的粗细长短

1.粗而短。

在便秘患者中该类型比较多见。大便一般由70%～80%的水分变成50%，故粗而短。由于排便时非常用力，故患肛裂者特别多。

2.中等左右的粗。

如1根粗的香肠或1～2根香蕉，作为大便的量，这是正常的。在健康状态下，平时排出量应该是这些。但由于饮食量的变化，便量也会变化，所以不必拘泥于根数。

3.细而长。

由于柔软，排便中不间断。虽然排便通畅但还是存在某些问题。稍微有点消化不良、水分过多时易出现这种情况。

4.细而短。

排便往往有便意不尽的感觉。如果大便太细，应考虑到肠管内有何原因引起狭窄。此时，您最好去医院检查一下。

大便的颜色和形状一样能够反映出您的身体状况。那么，您的大便是什么颜色呢？大便的颜色，与书中的颜色多少会有些差别，但作为大便评估的标准，可以作一下参考。

## ■ 大便的颜色

1.茶色。

从茶色到茶褐色是没有问题的健康大便，但是硬度和量还有气味之外的条件必须具备。腹泻时，如果是一时性的水分摄取过度，过敏性肠炎也许是其原因。

2.灰白色。

如果是由于过量进食脂肪引起消化不良或者是由于消化道钡餐而出现这样的大便，则很快就会消失，没有必要去看专科医生。它基本上属于水样便，在正常情况下也可能发生。

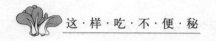

3.黑色。

消化道出血经过一段时间后就会变成黑色。也就是说，由于食道、胃、十二指肠等上消化道出血，可出现黑色大便。这种情况必须尽快地去做专科检查。

4.赤色。

赤色兼水样便，可见于食物中毒、菌痢和溃疡性结肠炎。如果是软便、普通便的话，就要考虑是大肠癌、口服泻药或吃很多颜色发红的食物所引起；如果是硬便，要考虑痔和直肠癌。

## ■ 可疑的大便

最后请观察一下是否有如下异常的大便。这种观察具有重复性，不管以前是否出现过，都请仔细观察一下。

1.气味强烈。

虽然大便硬度正常，但若气味异常，一般是由于摄食肉类过多引起，那么您就应该注意营养均衡了。另外，进食韭菜、蒜或者服用营养品，其气味也会很浓。

2.油状便。

大便的周围有油滴或便盆内有像油样的东西漂浮在水面上，一般是由于消化不良所致，应考虑胰腺疾病。若多半为稀便，则请尽早去做检查。

3.与平常颜色不一样。

出现黄色和绿色的大便，多数是由于肠道内细菌的作用。这往往是由摄食过多绿色蔬菜引起。出现红色大便，则多是由于摄取过多颜色发红的食品所致，例如过多摄取西红柿、胡萝卜等。除此以外，应该考虑是由出血造成的。

如果大便带血，只要做一下检查，则很容易查清出血的部位。大致是：从胃等上消化道部位出血是黑色，从下消化道部位出血是红色。

## ■ 观察大便的四个要点

综上所述，通过观察大便，就能发现各种疾病，并由此推断出身体内脏状况。然后再核对一下其他相关的检查项目，就能够做出相应的诊断。所以，为了您的健康，排便后在用水冲刷之前，请您务必仔细观察以对照下面结论：

便形是否异常

严格说来，大便中所含有的水分决定其形状。最佳的比例是水分占70%～80%，只要在这个范围内就能顺利地排便。但是水分超过80%，大便则较柔软，很难成形。水分超过90%就是水样便，排便时如喷射状。相反，若水分低于

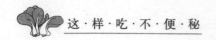

70%，则大便坚硬，排便时非常痛苦。

### 便量是否异常

比起欧美人来，东方人的大便量要多一点。这是由于东方人对蔬菜和食物纤维素的摄取量相对较多。东方人一般每次便量约100g～250g。便秘时，大便不能完全排出，即使排出，每次也在35g以下。腹泻时，水分含量增加，大便量可达到200g以上。用大小来表示，便秘时大便相当于一个高尔夫球，腹泻时相当于一个牛奶瓶。但是，因便量与次数有关，所以这并不仅仅是个量的问题，需要在综合分析的基础上作出判断。

### 便色是否异常

大便的颜色，是由大便在大肠内通过的时间来决定的。从进食到排泄的时间短，则大便接近土黄色；时间长则接近棕色（茶色）、焦茶色。顺便提一下，健康婴幼儿的大便呈现整体的土黄色。绿色便，除去添加剂和饮料的原因外，也可由急性肠炎、食物中毒引起的消化不良造成。但是新鲜的红色和暗红色的大便、黑色便，是内脏出血的迹象，是明显的危险信号。

### 大便是否可疑

随着欧美式的饮食生活方式的引进，大肠癌不断增加，这说明饮食与健康息息相关。即使现在还没有自觉症状，但是从患者排出的黑色的柏油样便和患有慢性肠道疾病而引起的粘液血便，就可以推断出是胃肠等脏器出血。每日只要观察一下大便的形态，一有异常就可及时发现。如果发现自己的大便有轻微异常时，就应及时到医院的消化内科做一下检查。在查明病因后，应该接受适当的治疗。

## 重视便秘

不要小看便秘，便秘是消化系统常见的病症之一，并逐渐在医学诊断技术的发展中成为独立性疾病来研究。

1.建立正确理念。

观念一：便秘的概念是指排便不顺利的状态，包括粪便干燥排出不畅和粪便不干亦难排出两种，一般每周排便少于2～3次即可称为便秘。

观念二：食物摄入到排出。经过充分的消化，吸收营养部分，余下残渣糟粕垃圾约24小时需要排出体外。

观念三：可想而知，便秘造成体内常常形成一个垃圾堆积场，糟粕不能排出，将造成人体各个系统变化，如心脑血管方面危害，呼吸、消化功能障碍。内分泌代谢失调，甚至早衰、颜退、色变。而且是一些不治、难治疾病的警示信号。由此可见，便秘不是一种小病，也非单一病种，应引起

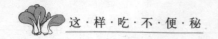

人们的关注。

2.便秘的后顾之忧。

（1）排便的生理过程。从食物摄入后通过消化系统吸收、消化、运输、储存，再通过肌肉、神经（大脑皮质感受器）等各个器官的协同作用而完成。那么，在上述消化系统任何一个过程出现无序状态时，便秘就产生了，随之也带来了后患无穷。

（2）首当其冲是肛肠病变问题。因痔疮和肛裂而发生便秘的情况较普遍。当痔疮和肛裂发生时，疼痛引起肛门括约肌痉挛，导致排便困难。因而在害怕排便时疼痛、出血的恐惧心理下，常忍着不大便，久而久之，便秘形成，又加重痔疮、肛裂的病症，互为因果。

（3）肠道病变问题。肠道机械性梗阻、狭窄、神经病变及肌肉异常，也是导致便秘发生的原因之一，如肠道肿瘤、结肠息肉、炎症、肠梗阻、慢性肠套叠、吻合口狭窄、结肠癌、直肠癌等肠道病变问题都会导致腹胀、腹痛、大便不通。

（4）内分泌疾病的问题。许多发生在内分泌疾病过程中，影响肠道平滑肌功能，继而发生便秘，如甲状腺功能减退症、垂体功能减退症、嗜络细胞瘤等等。

（5）脑、脊髓病变问题。脑与脊髓病变，可能抑制副交感神经的兴奋性，使分布在肠壁的胸、腰交感神经作用过强，产生便秘。如脊髓炎、损伤、帕金森病等。

（6）生殖系统问题。发生在女性盆腔肿瘤、巨大卵巢囊肿及子宫肌瘤等，也可导致便秘发生。

（7）其他因素问题。有些导致便秘的原因则往往发生在日常生活中。如饮食习惯、生活习惯不良或形体因素等，常比较集中发生在一些年龄段、性别、精神状态紧张及服用某些药物等特殊群体，并因这些原因而导致排便困难。

（8）职业、社会因素问题。在竞争激烈的社会中，来自方方面面的压力，造成心理障碍，包括忧郁症、焦虑症和学习、工作环境等均可导致便秘发生，进而出现烦躁不安，注意力不集中，工作效率下降，精神紧张、焦虑、沮丧乃至悲观厌世情绪。

## ■ 长期便秘会在体内蓄毒

从某种程度上讲，长期便秘带来的身体种种不适及对身体各个系统的危害就是在蓄毒。已有科学研究发现，从人类粪便中分离出一种与结肠癌有关的强烈致癌突变原，这种致癌突变原是由至少5种肠道细菌在肠道存积粪便中发酵之后产生的，与目前已知的最强的致癌物有类似之处。很显然，便秘是导致细菌在肠道发酵的罪魁祸首。

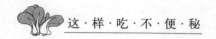
　　毒素是怎样长成的呢？小肠将从胃部输送过来的消化物进行过滤，将其中的有毒成分继续运送到肝脏进行分解，当食物残渣停留在大肠内，部分水分被肠黏膜吸收，其余在细菌的发酵和腐败作用下形成粪便，此过程会产生有毒物质，再加上随食物或空气进入人体的有毒物质，粪便中也含有大量毒素。和尿液一样，若不及时排出体外，毒素也会被身体重吸收，再通过循环系统来到各个器官。导致我们收支已经失衡的身体经常感到疲劳，不堪重负，因为我们要花更多的力气去排除超量的毒素和体内垃圾。反过来说，人体内的垃圾被控制到正常状态，我们会觉得精力充沛，身体健康。

　　人体排除有害物质的能力主要取决于四个系统的正常运作，它们是：消化系统、呼吸系统、泌尿系统和皮肤。为使这四个系统保持良好的工作状态，您就要喝足够的水使肾能够顺利排尿；吃足够的纤维食物，保证胃肠正常的蠕动功能；经常锻炼呼吸系统以及适量运动，勤沐浴，养成每日清晨规律排便的习惯，缩短其在肠道停留时间，减少毒素的吸收……总而言之，排毒的本质就是使人体平衡，各个排毒器官达到最佳状态。

## ■ 便秘的种类

临床上，对便秘有不同的分类方法，从而也就出现了许多类型，这也从不同的角度反映了便秘的情况。

按发病时间的长短分类，分为慢性便秘和急性便秘。便秘时间长达一个月至半年以上者属于慢性便秘，反之则为急性便秘。慢性便秘有3个基本类型分别是慢传输型和出口梗阻型，或为二者兼备的混合型。

按有无器质性病变分类，分为器质性便秘和功能性便秘。器质性便秘是指体内某些实质性器官发生病理改变而导致粪便通过障碍形成的便秘，而功能性便秘则是由于所进食物过少、食物过于精细、排便习惯受扰或滥用强力泻药等因素引起的，并非肠道实质器官病理改变而造成的便秘。

按便秘发生的原因分类，分为原发性便秘和继发性便秘。原发性便秘是指由于进食少、排便习惯不良、滥用泻药、结肠运动功能障碍、排便动力不足或肠道肌肉松弛等原因引起的便秘。继发性便秘则是继发于其他疾病，如肛裂，肛周脓肿，腹腔及盆腔肿瘤，结肠良、恶性肿瘤等各种原因导致的肠梗阻、肠粘连。继发性便秘是由疾病原因引起的便秘。

按粪块积留的部位分类，分为结肠便秘和直肠便秘。粪便在结肠聚集而形成的便秘为结肠便秘，例如，结肠痉挛、结肠运动迟缓、结肠平滑肌张力低下造成粪便停留在结肠的时间过久，水分被过度吸收导致的排便困难；粪便在直肠聚集而形成的便秘为直肠便秘，如腰麻造成的肛门直肠平滑肌松弛，排便反射消失，使粪便长时间聚集在直肠内，不能及时排出而导致的便秘。

按平滑肌的功能状态分类，分为弛缓性便秘和痉挛性便秘。弛缓性便秘是指各种原因造成的与排便有关的肌肉张力减低导致的便秘，如年老体弱、营养不良、肥胖、膈神经麻痹等疾病造成腹肌、膈肌、肠道平滑肌、肛提肌等张力下降，肠道运动减弱，使粪便不能及时排出；痉挛性便秘是指各种原因导致与便秘有关的肌肉张力过高或肌肉痉挛造成的便秘，如肠易激综合征、结核性腹膜炎造成的肠平滑肌张力过高以致痉挛，导致肠蠕动障碍引起的便秘。

按便秘的病理生理分类，分为机械梗阻性便秘和动力性便秘。动力性便秘的基础可能是肠道平滑肌病变引起，也可能是肠壁神经病变引起；按引起便秘的部位与机制，动力性便秘又可分为慢通过便秘、排出道阻滞性便秘及通过正常的便秘。

按便秘的严重程度分类，分为轻度、中度、重度。轻度便秘，是指症状较轻，不影响生活，经一般的处理即能好转，不需要药物治疗或稍微用些药物就能解决的便秘；重度便秘，是指便秘症状持续，病人异常痛苦，严重影响生活，不能停药或治疗无效。中度便秘，则介于二者之间。通常所谓的难治性便秘属于重度便秘，可见于出口梗阻型便秘、结肠无力及重度便秘型肠易激综合征等。

## 怎样判定便秘

对于年龄较大的儿童和成人来说，食物从口腔进入人体，经过消化吸收到形成大便并排出体外，大约需要24～48小时。因此，正常人两次大便的间隔时间一般为1～2天，大多数人每天大便1～2次或2天大便1次，也有人2～3天大便1次，只要粪便的颜色、性状正常，不干不稀，没有排便困难，都属于正常现象。正常人两次大便间隔时间不同是因为个体差异及生活习惯、排便习惯等不同造成的。新生儿正常者每天大便3～5次。幼儿一般每天大便2～3次。

那么所谓便秘是怎么一回事呢？是指这样两种情况：

第一，和正常人相比，两次排便的间隔较长。一般说来，隔半天、一天或两天排便1次都属于正常现象。但如果隔四五天甚至一个星期才大便1次就属于便秘了。

第二，和自己以往排便间隔相比。每个人排便间隔时间是相对固定的。例如，有人总是每天大便1次，有人总是隔天

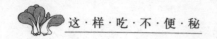
大便1次。如果和平日相比，两次排便之间的时间明显延长那就有可能患了便秘。

第三，大便形态或硬度发生了改变。正常情况下人的粪便成条状，不干不硬，排便时不费力，没有排便困难。如果粪便变得干硬或变成羊粪蛋一样的粪球、粪块，排便时感觉费力或感到困难，就说明已经患了便秘。

第四，排便习惯发生改变。每个人都有自己的排便习惯。例如，有的人喜欢每天早晨起床后上厕所，也有人饭后要大便。一个人如果到了往常排便时间还没有明显的排便要求，就有发生便秘的可能。因此，根据排便习惯发生改变这一信号可以及时发现便秘现象的出现。

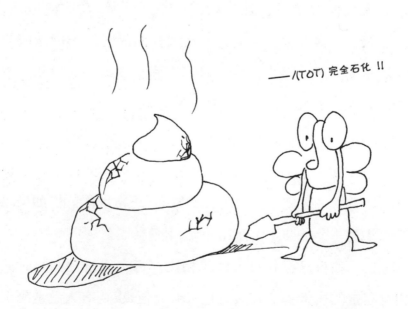

第五，出现排便困难。如果平时排便没有任何困难，排便时也不费力气，忽然出现排便困难或感到排便费力时，即使粪便不是十分干硬，也可能发生了便秘。

第六，伴有一些特殊症状，如腹胀不适，肛门坠胀，排便不爽，有不尽感，或大便时滴血；或缺乏便意，在不使用泻剂或不用手法帮助排便的情况下，7天内自发性排空粪便不超过3次或长期无便意等等，均可以看做是便秘，或称为排便困难、排便障碍。

便秘者除排便困难、排便不畅、费时费力、缺乏便意外，经常伴有腹胀、腹痛、肛门疼痛、坠胀，或肠鸣、多屁，或食欲缺乏、恶心嗳气、口臭，或有头晕、烦躁等。并且由于大便干结，排便过于用力，常常会并发痔疮、肛裂等肛肠疾病，引起局部出血、疼痛，甚至感染。

有些顽固性便秘不是因为消化系统功能的改变，或是由于结肠、直肠存在明显的器质性病变所致，而是由于先天性结肠、直肠解剖结构异常而在不同年龄段逐渐产生排便困难，其实质是慢性的不全性肠梗阻。因其梗阻部位不同，通常又有结肠型、直肠型、混合型之别。像这样的便秘单靠药物治疗不能治愈，需手术治疗。

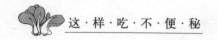
## ■ 便秘本身的相关症状

（1）排便困难。

便秘患者往往感觉排出大便异常艰难，费时而且又费力。粪便干燥、坚硬、量少，犹如羊粪一般，有时候甚至需要手法帮助排出粪便。

（2）排便不畅。

大便先干结后稀溏，常常有肛门坠胀感觉，虽然便意频繁，排便次数不少，费力排解大便后，肛门直肠内的阻塞感仍不能完全缓解。

（3）缺乏便意。

没有想排泄大便的感觉，不用泻药每周排便少于3次。


**便秘的伴随症状：**

便秘患者常述腹痛、腹胀、嗳气、多屁、肠鸣、口臭、头晕、不思饮食等等不适。

部分患者可伴有或者加重痔疮、肛裂，出现大便表面黏附有鲜血的现象。

堆积在肠道中的粪块有时可能被误诊为腹部包块，其实这是停滞在肠内的粪块，或者是痉挛的结肠。这种包块不会持久存在，往往于排便后可消失，而真正的肿瘤包块会持续存在，两者是完全不同的。

曾经有一个男性因为腹痛，自己摸到腹部有包块而去医院求治。入院时，病人已有4天未解大便，医生在病人腹部扪及多个形如鸽蛋大小的包块，怀疑为肠道肿瘤或其他部位肿瘤转移至肠道，准备进行结肠镜检查。由于肠镜检查前需要用泻药清洁肠道，结果病人在排出大量粪便后，腹部块物完全消失，后来结肠镜检查也未发现任何异常。病人虚惊一场。由此可见严重的粪便嵌塞有时候可以引起肠梗阻。

**便秘伴随的报警症状：**

报警症状是指一旦出现某些症状往往提示便秘可能与有些疾病相关。虽然大多数便秘是功能性的，但是仍然有相当一部分便秘的背后隐藏着严重的疾病。比如便秘伴有明显的消瘦、黏液脓血便、黑便、贫血、发烧、腹痛、包块以及大便形状变细等情况，若出现上述症状应该及时到医院就诊，了解是否发生消化道肿瘤、肠结核、溃疡性结肠炎、克罗恩病、糖尿病等等。不要忽略便秘伴随的"报警症状"，延误病情。

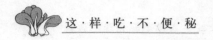
## ■ 为什么会出现便秘

我国便秘的发病率大约为3%～17%之间，其流行病学特点可以概括为"富高穷低、女高男低、老高少低"。这反映出便秘的发生受患者的教育程度、健康状况、精神因素、生活饮食习惯、社会经济地位、职业、性别、疾病以及药物等许多因素的影响。只有知道便秘是如何引起的，才能从源头

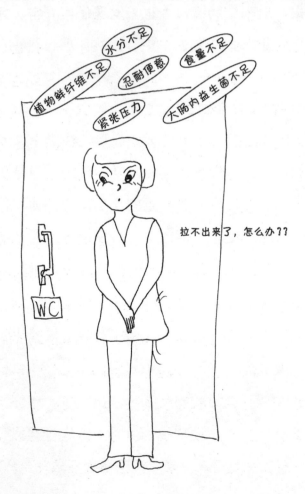

做起，从生活中点点滴滴的小事做起，采取行之有效的预防措施。

1.偏食。

在当今社会，各个年龄层均有一部分人存在偏食或者挑食现象，且多偏爱肉类食品、高蛋白食品。酒店、餐馆或者路边大排档，一眼望去，餐桌上荤菜远远超过素菜。也有的人食物过分精细，样样菜都切碎煮烂。殊不知，现代都市生活的营养过剩已经成为非常严重的问题。高蛋白和精细食物含膳食纤维成分极少，所形成的食物残渣自然也很少。而膳食纤维是刺激肠壁蠕动的重要因素，膳食纤维缺乏自然会导致肠蠕动减慢，食物残渣在结肠停留时间过长必然引起粪便干结，最终导致便秘的发生。

2.食物摄入过少。

民以食为天，吃是人生最大的享乐之一。没有一定的摄入量，何以形成足够的粪便以充盈刺激肠蠕动呢？吃得太少，粪便自然少，排便次数相应也会减少。同样，食物残渣少，就难以形成较大的粪便团块，促使肠道运动；肠蠕动缓慢，就不能及时将食物残渣推向直肠，大便在肠内停留时间延长，水分被过多吸收而使粪便干燥。进入直肠后的粪便残渣因为量少，不能形成足够的压力去刺激神经感受细胞，造成排便反射和便意缺乏，最终就会导致便秘发生。

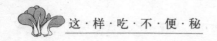

3.水分摄入不足。

正常情况下粪便中水分占70%左右，饮水不足本身就可以引起大便干结。与枯水舟难行的道理一样，水既可以滋润肠道，又能够促进大肠运动，每天饮用一定量的水对于大便形成、保持大便通畅具有非常重要的作用，所以千万不能忽略每天喝水！

4.蔬菜与水果摄入的缺乏。

膳食纤维是食物中不能被机体消化吸收的残留物，是粪质的主要固体成分，能够吸收水分、软化大便、刺激肠蠕动。膳食纤维的量对于大便通畅与否极其重要。蔬菜和水果含有丰富的食物纤维，摄入足够的蔬菜和水果，能够增进大便的形成，促进肠道把粪团推进直肠，利于产生便意和排便行为的顺利进行。反之，则很容易引起便秘。

5.辛辣食物。

火锅、串串香、麻辣烫、酸辣粉等在街头巷尾、酒楼、宾馆随处可见，空气中到处都散发着麻辣香味。如今，川菜已经盛行在大江南北，甚至漂洋过海，男女老幼人人喜欢。但是，往往饱了上面的口福，却苦了下面的肛门，第二天肛门灼热、大便排出费力费时。正如古人所云："平素喜食辛辣厚味，煎炒酒食者，多致胃肠积热而成实秘。"

6.四季变化与便秘。

人与自然界的气候息息相关，炎热干燥的季节，大便可能干结一些，温暖潮湿的季节，大便可能软化容易排出一些。春季气温多变，衣着过多则水分丢失增加而导致便秘。衣着过少，一些阳虚、气虚者则易发生阳虚、气虚便秘。夏季是一年中气温最高的季节，人体的新陈代谢十分旺盛，若阳虚者袒胸露腹或者贪凉饮冷食则易导致阳虚便秘或冷秘。若衣着不易散热则易使出汗过多，致暑热伤气，形成热结便秘或气虚便秘。秋天气候日益干燥，这时衣着应该逐渐增加，以避免秋燥气候与衣着一下过多致水分丢失而形成便秘。冬天气候寒冷，人体需要较多的热量来保温。衣着应以保暖为主，以避免因受寒所致的虚寒便秘。因此，根据天气变化增减衣服，对便秘患者来说，是非常重要的事情。

7.居住、工作环境与便秘。

随着经济发展，人们的生活越来越好，居住条件日益改善，现代都市的多数家庭，以及商场、银行、医院、办公室，甚至出租车、公共汽车等公共环境中均安装了空调。空调为我们的生活增添了极大的舒适感，但是也给我们的健康带来了诸多的隐患。无论是寒冷的冬天还是炎热的夏天，空调环境中的湿度都是不够的，人们往往感到鼻腔干燥、皮肤干燥、口干舌燥，大量的水分从呼吸道、消化道、皮肤不知

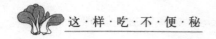

不觉地挥发消失，而身体水分不足则容易造成大便干结或者便秘。

8.出差、旅游与便秘。

在正常的情况下，每个人都会定时出现饥饿→吃饭、困倦→睡觉、便意→排泄大小便，每个人都有自己固有的生活规律，或者我们称之为"生物钟"。有的人适应能力比较强，可以很快按照新的规律生活；有的人适应能力差，一旦生活环境改变就会产生一系列机体的不适反应。这种适应性随着年龄的增加而减弱。人们常常遇到这样的情形，在出差或者旅游时，在长途车上产生想排解大便的感觉，却没有厕所可方便而抑制排便感觉；飞机、火车上虽有厕所，但是感觉不适应或者太脏又臭气熏天而克制排便行为；长期习惯蹲着解便，突然变成宾馆里的坐便器，从而难以适应而解不出大便……由于环境变化肝硬化患者，便秘时不能通过肠道排出有毒物质可能诱发肝性脑病；便秘患者存在排便用力的情形，有心、脑血管疾病的患者如果过度用力会引发心肌梗死、脑出血等。此外，便秘还严重影响人们的生活质量，部分患者由于慢性便秘痛苦不堪，甚至有因此而轻生者。便秘反复发作，不少患者盲目滥用泻药，很多药物都含有刺激性泻剂的成分，长期使用会形成药物依赖，甚至出现结肠黑变病而加重便秘。另外，每年便秘患者的检查治疗费用也是相当惊人的，国内尚无这方面的报道，在美国，每年用于便秘的耗费超过30亿美元。

9. 不进早餐也能引起便秘。

经常性的不进早餐，使肠活动不充分，就会引起没有便意的麻烦，因此而导致便秘。《国民的营养现状》披露，不吃早饭的人占总人数的1.5%，也就是说每8个人中就有1个人不进早餐。这会导致一些有害物质不能排出体外，便量也变得很少而不能充分刺激肠壁，因此不能产生强烈便意，自身排便也就变得困难起来。

10. 克制便意。

因排便痛苦，所以不愿排便，粪便会变得越发坚硬，如此形成恶性循环，便秘也就不会消除。因此，说摄水不足是便秘的大敌，并非言过其实。

但是既使如此，也不是只要不断地补给水分就可以解除便秘。由于摄水多，大肠吸收的水分也多，所以单靠补充水分来解决问题是远远不够的。要保持粪便的必要的柔软度，还要依靠食物纤维。食物纤维吸收水分后膨胀起来，使粪便保持适度的量，就可以形成软硬适中的粪便。

11. 精神原因。

大肠的运动是受自律神经支配的。我们的意志是不能自由地终止肠的活动的。但是，自律神经却与人的感情、行为

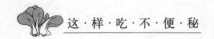

密切相关。从这点上说，大肠的活动也并不是完全与人的意志无关。旅行或者改变了工作环境时，由于生活环境的改变而使人精神紧张或处于精神紧张状态，大肠的运动节律就会发生紊乱，易形成便秘或者腹泻。另外，工作繁忙、无休息时间、与周围人的关系不融洽、焦急等日常生活中紧张状态的积累，都可引起大肠运动规律的紊乱而形成便秘。

12.年龄性别。

在发生便秘的人群中，有年龄特点和男女性别差异。

婴幼儿：婴幼儿发生便秘的情况临床常有发生。现在每个家庭大多数只有一个孩子，家长在喂养方面会下很多精力和财力，可不少人想让孩子吃好，却缺乏科学合理的喂养知识，只一味地注重高蛋白质、高脂肪、高胆固醇食品，如肉、鱼、虾类食品；不重视粗纤维食物，如蔬菜、水果等；加之儿童任性，家长溺爱，娇生惯养，养成孩子在饮食上随心所欲，家长为了孩子高兴，对挑食、偏食、喜欢快餐、油炸食品，也不加制止，这是儿童产生便秘的常见原因。殊不知吃得过于精细，不仅浪费钱财，而且不利于婴幼儿健康生长。还有些家长在婴幼儿喂养时，为了方便，过早断奶，在人工喂养时，过早、过多地加入固体食物，很少喝白开水，这也是婴幼儿产生便秘的常见原因。

年轻人便秘的产生大多与饮食因素、生活无规律有关，有些习惯性便秘者与儿童时期未养成定时排便有一定的关系。如有些年轻人，特别喜欢吃辛辣、煎炸的食物，导致大便干硬难解；有些年轻人，上洗手间解大便时，总喜欢手里拿一本书或报纸，对解大便根本就心不在焉，时间一久，直肠感受器对大便刺激的敏感性就会降低，排便过程中神经肌肉的协调性就会下降，排便过程就会延长；有些年轻人出差多，不爱喝水，喜欢熬夜、睡懒觉，生活没有规律，没有定时排便的习惯，这些都是导致便秘的常见原因。

老年人出现便秘的原因分析起来有以下几个方面。

第一，老年人神经系统功能下降，排便反射减弱，直肠对大便的刺激不敏感，不能及时形成便意，排便困难。第二，老年人全身肌肉萎缩，张力减退。肠道平滑肌运动减弱，肠管松弛，排空障碍；腹肌、膈肌、盆底肌肉松弛、薄弱，排便无力。第三，老年人易患糖尿病、高血压、慢性支气管炎、帕金森病（震颤麻痹）、脑卒中（中风）、心脏病等，这些疾病本身有可能引发便秘，治疗这些疾病的药物也容易导致便秘或加重便秘。第四，老年人咀嚼功能及消化能力均较差，影响了老年人的进食，他（她）们只能吃一些柔软的容易消化的食物，不愿吃蔬菜特别是含粗纤维较多的食物，进食量少加上膳食纤维不足，饮水又少，致使粪便量少，在肠内停留的时间长，容易形成便秘。第五，老年人体

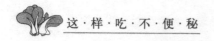

弱多病，体力活动少，有些疾病如中风偏瘫、股骨颈骨折等原因使老年人无法活动，长期卧床，极其容易造成便秘。

便秘也有性别上的差异。男女性别差异在便秘发生率上有区别，女性的便秘率是男性的2～3倍。女性有其特殊的生理变化，在不同时期受内分泌激素影响，可能会出现短暂性的便秘，这与孕激素水平周期性变化有关。一是妊娠期：在妊娠期，孕激素增高，此时盆腔肌肉受影响，收缩力下降，造成便秘。二是产后期：产时元气大伤，血液亏耗，体质虚弱，导致水分随血液流失，体内津液不足，肠道干燥，大便干结；尤其在产后未能充分休养，起床过早，腹内脏器压迫盆底肌肉，肛提肌无法复原，也是产后便秘的原因。三是月经期：部分女性在月经前期会出现大便次数增多，在月经期或月经后期肠道水分随经血流失，会出现短暂性便秘。知道这一规律后，女性应当有意识地在经期多喝些水，尽量保持体内充足水分。

人们一般很少想到形体因素与便秘的关系，其实过于肥胖和消瘦均与便秘有关系。中医学认为，胖人多气虚，瘦人多火。形体胖瘦不同，机体的功能状况就不同，"虚"与"火"均会引起便秘。

肥胖者大多行动不便，很少参加运动锻炼，全身肌肉处于松弛状态，肠蠕动减缓，排便时腹肌、大肠平滑肌收缩乏力，所以就会显得排便无力，常常需要很长时间、用很大力气才能解出大便，更有甚者不吃泻药就不能排出大便。有关研究报道：体重与便秘有密切关系，体重超过正常体重（计算方法：［身高（厘米）−100］×0.9）的10%，便秘者较多。

消瘦者体重低于正常体重的10%。大多数消瘦的人，机体处于代谢较为亢进的"多火"状态，经常出现烦热。津液消耗多，肠道常处于缺乏水分滋润的状态，使大便变得干结甚至如羊屎状而难以解出。有些人则表现为气血两虚状态，表现为形体消瘦，肌肉瘦削，面色淡白，全身乏力，由于肠道蠕动减慢，排便时肌肉收缩无力，所以也经常会出现便秘。

## ■ 中医如何认识便秘

中医看病很重视大便，这早在《黄帝内经》中就有过描述。这部中医学经典指出六腑的生理功能是"传化物而不藏"，指出大肠是"传导之官"，它的功能主要是将经消化、吸收后的食物残渣变化为粪便排出体外。《黄帝内经》还进一步提出"魄门（肛门）亦为五脏使"这样精辟的论点，认识到大便的变化除了与"传导之官"的功能密切相关外，与五脏六腑的生理病理都有密切的关系，为辨大便诊病提供了理论依据。对于便秘一症的描述，有禁止、不得前后、坚干不得出、大便难、隔肠不便等。在《黄帝内经》中的《素问·玉机真藏论》篇中提到大便秘结不通属五实危重症中的一种。之后《伤寒论》、《金匮要略》提到了阳结、阴结、脾约等不同病机的大便秘结情况，设立"麻仁丸"为治疗"脾约"的药方。

中医看病非常重视大便状态，将望大便列为常规诊测的基本内容之一，如张景岳的"十问歌"就明确提到了问大便。的确，大便的情况与机体气血阴阳及五脏六腑的功能状况太有关系了。一般情况下，机体阳热亢盛，大便就干结难解；阳气虚衰，大便会变得溏薄或夹有不消化食物。老百姓通常认为，大便干结就是"热重""火重"，但中医学认为，大便秘结的原因是多方面的，需仔细分辨。

便秘的辨证认识。历代医家认为，引起便秘的原因是各种各样的，有肠胃燥热、津液耗伤；情志影响，气机郁滞；年老体衰，气血不足；阳虚寒凝，气不得行等。例如，素体阳盛的人，经常进食辛辣、炸烤或热性食品的人，饮酒过多的人，容易导致肠胃积热；热病耗伤津液或热病之后，余热未清，津液耗伤，常导致胃肠燥热，出现大便干燥、排便困难；忧愁思虑过度，或久坐少动，容易导致气机郁滞，肠胃消化功能下降，大肠传导失职，糟粕停留，不得下行；劳倦内伤，病后、产后以及年老体弱之人，气血亏虚，气虚则推动无力，大肠传输功能不力，大便排出艰难，血虚则津液也枯，大肠失润，大便干结难解；身体亏虚或年老体衰之人，阳气不足，阴寒内生，寒凝肠胃，传导功能障碍，也常常引起大便不通。所以，中医常常根据便秘伴有不同情况，将便秘辨为热秘、气秘、虚秘、寒秘等不同的症型。在治疗便秘时，需针对不同的症型，采取相应的方法，以治病求本，而不仅仅限于通便。

## ■ 便秘的自行解决方法

在日常生活中，人们由于饮食习惯、生活习惯、工作性质不同，环境优劣和年龄、性别的差异，而带来的"出口"不利的问题一般是可以自行解决的。一般可以通过以下几个方面来改善：

### 饮食调养

饮食足量，有利大便形成；多食用高纤维食物，残渣促成大便；摄入足量水分，软化肠道大便；酌食油性食物，润滑滋养肠道；杜绝偏食，少食辛辣。

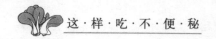

### 生活习惯改变

改变生活规律，包括进食的规律、睡眠时间规律、作息时间规律；加强便意生物钟培养，而产生便意生理规律；加强体育锻炼，动静结合，养疗同步。要注意调理情绪，特别是更年期的妇女，更应该进行心态的调整。

还有就是合理用药。

## ■ 有必要了解的名词

**食物纤维**：是指食物中一种无法被人体消化吸收的物质。具有吸收水分软化大便的作用，也是构成粪便的主体。能促使肠道肌肉蠕动，将粪便快速推下。这些食物纤维在粗粮中含量较多。

**肠蠕动**：肠蠕动是指肠道肌肉的运动，正常人肠道肌肉每分钟向下蠕动4或5次，能促使食物残渣、粪便尽快向下排出。过快的蠕动使肠道来不及吸收粪便内多余的水分，形成腹泻。过缓的蠕动则使粪便在肠道停留时间过长，吸收水分过多，形成便秘。

# 便秘，"堵"上健康的路

便秘是因为粪便在大肠内停留的时间过长，水分被大量吸收，致使大便变得干硬，不易排出，而不能被排出的大便中一些毒素如果被肠道吸收，可能起头痛、头晕、舌苔厚腻等症状。如果是长期便秘，很有可能使毒素反复被肠道吸收，导致以下的疾病。

## ■ 便秘的危险信号——急性阑尾疾患

急性阑尾炎是外科常见病，居各种急腹症的首位。除婴儿外，可发生在其他任何年龄。一个世纪以来，由于外科技术、麻醉、抗生素等药物治疗和护理的改进，绝大多数患者能够治愈，病死率已降至0.1%左右。急性阑尾炎与便秘之间的关系是相互的。

从病因上讲，便秘可导致胃肠功能紊乱，妨碍阑尾的血液循环和排空，从而为细菌感染创造条件；同时，阑尾是一个与盲肠相通的盲管，管腔细长，开口狭小。当便秘时，粪便滞留或干燥坚硬的粪便形成粪石等，可造成阑尾腔堵塞，导致阑尾抵抗力低下，细菌更易于入侵而感染发炎，成为引起阑尾炎的原因之一，发生粪石性阑尾炎。

## ■ 便秘的危险信号——食管疾病

食管从胸腔到腹腔与胃的贲门相连续，中间经过膈肌。食管通过膈肌的部位叫食管裂孔。当膈肌下食管及部分胃囊（胃底部）经过食管裂孔凸入胸腔时，即称食管裂孔疝。该病的发生率随年龄的增高而增高，据资料报道40岁以上为1%，50岁以上为3%，70岁以上老年人的发病率高达7%。

随着年龄的增长特别是到老年时，因自然衰老等因素，使膈肌的弹性减弱、张力低下，致使食管裂孔松弛或变宽，发生食管裂孔疝的机会增多。当腹压升高时，如慢性便秘、排便困难、咳嗽、体力劳动、肥胖（女性尤为多见）、妊娠、腹水等，更容易发生食管裂孔疝。

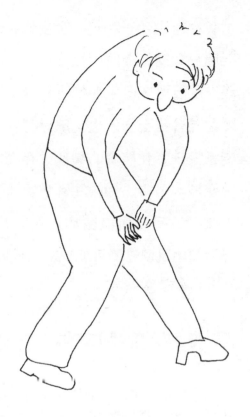

便秘是食管裂孔疝的常见诱发因素。因为用力排便会导致腹压升高、裂孔增大，容易将胃的一部分挤压而通过食管裂孔形成疝，还会使食管裂孔疝加重。纠正便秘常能减少疝的形成。

## ■ 便秘的危险信号——乳腺癌

乳腺癌是女性最常见的恶性肿瘤之一。乳腺癌是乳房腺上皮细胞在多种致癌因子作用下，发生了基因突变，致使细胞增生失控。

引发乳腺癌的原因有很多，值得关注的是便秘持续时间

过长，比如10～20年，也会促使乳腺癌的发生。专家从接受乳腺癌预防检查的女性乳房筛检细胞中，发现每周排便两次以下的女性，占乳房拥有异常细胞之女性的绝大多数。长期便秘为什么会易发生乳腺癌呢？加拿大多伦多癌症研究所的专家发现，便秘者的粪便中存在一种致突变原。经测定，该突变原与目前已知的几种癌物质类似。这些致突变原经肠道吸收后，可随血液循环进入对其相当敏感的乳腺组织，这样，发生乳腺癌的可能性就明显地增加了。

## ■ 便秘的危险信号——大肠癌

大肠癌与便秘关系十分密切。一方面，便秘是大肠癌的常见症状，是一种早期信号，尤其是发生在结肠、乙状结肠的左半结肠癌和直肠癌。轻视大便习惯的改变或不把便秘当回事，就会延误治疗时机。另一方面，便秘也是导致结肠癌、直肠癌的危险因素之一。因此，防治便秘对预防大肠癌有积极的意义。

各种大肠的良、恶性肿瘤均可引起便秘，其中以大肠癌最为常见，因为大肠癌70%发生在结肠与直肠。位于降结肠、乙状结肠的左半结肠癌和直肠癌，由于肿瘤部位与肿瘤特性的关系，便秘常是最早出现的临床症状。例如左半结肠，其管腔较细，这种部位的癌组织类型多属于硬癌，特点是癌细胞沿肠壁四周环状浸润性生长，使肠腔缩窄产生梗阻，病人便会出现明显的便秘现象，这种情况提示肠腔已明显缩小，仅允许软便少量通过。还有些病人表现为腹泻和便秘交替出现，有时还会出现类似肠炎或痢疾样的腹泻。与此同时，病人多伴有不规则的腹痛、便血，大便次数较平常增多，服用治疗肠炎或痢疾的药物效果不好或易复发。当管腔进一步狭窄时，则会出现低位肠梗阻，表现为高度腹胀、阵发性腹部绞痛、肛门排便排气很少或完全停止。这是结肠癌晚期并发症之一。由于大肠癌是一种病死率较高的恶性疾病，便秘病人，特别是中老年便秘病人应对此提高警惕，在出现不明原因的便秘症状或出现与上述情况相似的症状时，应及时请医生进行全面的检查，以免贻误治疗时机。

另一方面，便秘又是大肠癌的危险因素。大量实验证实，便秘病人结、直肠癌发生率明显增高的原因有以下几方面因素：长期慢性便秘，干燥的粪便经常滞留于大肠，不能及时排出，可对肠黏膜产生不良的机械物理刺激作用；肠道内部分尚未消化的脂肪、蛋白质等，在肠道厌氧菌作用下可产生胺类如亚硝胺、酚类、氨类、偶氮苯等化学致癌物质，还产生吲哚、甲基吲哚、硫化氢等毒性物质；高脂肪饮食，会引起胆汁分泌增多，其中胆汁酸在肠道厌氧菌作用下，可

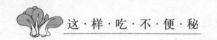

生成脱氧胆酸等致癌物质，脂肪的降解产物也可能有致癌或协同致癌作用。如果排便正常则能及时将这些致癌物质或有害物质不断随粪便排出体外；如果便秘，粪便及这些致癌物则长时间在肠道内停留，以致肠道内致癌物质含量增加，长期刺激肠道，容易诱发癌变，尤其是那些患有肠道息肉者，更易发生癌变。

所以，为了防治便秘，减少大肠癌的危险因素，应该从日常生活中开始注意，例如食物不宜过于精细，不能只进高脂肪、高蛋白质食物，像肯德基、麦当劳里那样的食物不宜过多食用。据国外报道，欧美等发达国家，结肠癌的发病率较高，其原因在于西方饮食结构的特点缺少纤维素摄入，导致大便次数减少，便秘发病增加。我们应该引以为戒。

## ■ 便秘的危险信号——性生活障碍

性欲下降的原因是多方面的，但很少有人想到与便秘有关。临床上，有些妇女常因痛经、阴道痉挛、性冷淡而上医院求医，追问病史时往往发现她们中不少人存在程度不同的慢性便秘；在射精疼痛、不射精或早泄、勃起功能障碍的男子中，医生也发现了这种现象。而当慢性便秘减轻或消失时，与性生活有关的障碍和问题也就随之减轻或消失了。

研究表明，慢性便秘不仅使直肠长期得不到休息而造成肛门压力不稳定，肛周收缩过紧，还会影响膀胱、子宫等盆腔器官的功能。很多人都有这样的体会，当大便停留于直肠、排不出肛门的时候，整个会阴部都会有一种紧缩、下坠、胀满、隐痛等不适感。因此，长期便秘可使盆腔肌肉群受到慢性刺激，肛提肌、会阴深横肌、尿道阴道括约肌、球状海绵体肌等都可常呈痉挛性收缩状态。久而久之，这些肌肉群就会出现营养不良及过度的松弛现象。而这些肌肉群与阴茎勃起、射精及阴道功能的正常发挥都有着十分密切的关系。特别值得提出的是耻骨尾骨肌，有人称之为"性爱肌"，它是一条阔韧带，如一张绷带吊床支撑着骨盆内的全部器官及阴道肌肉。如果该肌经常处于松弛或异常紧张的状态，将会引起阴道敏感性下降、性快感减弱，有的还会引起小便失禁。

值得注意的是，便秘引起的性欲改变无论在中年男女还是青年男女中都时有发生。一些有便秘而又缺乏性欲的女性，由于不愿意在他人或医生面前诉说，常常掩盖心理上的焦虑和痛苦。有些中年男子常常从其他方面去寻找性欲下降的原因。总认为是"年龄关系"或"身体虚弱"，便自作主张地滥服"补阳"药。这样不仅造成浪费，还常因疗效不佳

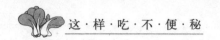

而带来沉重的负担。因此，有慢性便秘的男女出现性欲下降时，不妨找医生治疗，或许会有满意的效果。

而且便秘还会常伴随妇科的疾病，主要包括：盆底器质性病变及功能性障碍，子宫或卵巢良、恶性肿瘤，子宫内膜异位症等；此外，妇女在妊娠、分娩时由于腹压增高，产后及多产妇女、中年妇女也容易伴发便秘。

## ■ 便秘的危险信号——小心子宫癌

便秘是现代人常见的肠胃疾病之一，一般说来，便秘的症状，轻微的是解便量减少、解便解不干净，若是到了需要借助灌肠、塞剂、泻药等药物介入方式解便，就不是一天两天了。

一位因便秘持续超过8周以上，而紧急送急诊的80岁女性，该病人到院时，除有严重便秘症状外，尚合并有轻微左下腹胀痛及轻微贫血、镜下血尿的情形，经检查后，确定该名病人为第三期子宫颈癌。

从医学的观点认为，一个人1周解便的次数不到3次就算便秘。虽然短暂的便秘并不代表肠胃异常，但是若是便秘现象持续超过3周以上，则应该及早就医，尤其当发现个人解便习惯改变，如经常便秘改变成经常腹泻，或时常腹泻转变成时常便秘时，即需就医寻求便秘原因，千万不要置之不理，忽略身体发出的警讯。当便秘症状持续超过3周，建议最好就医检查。因大肠下段的直肠及乙状结肠都位于骨盆腔，当女性罹患子宫颈癌时，有1/6的患者容易因肿瘤压迫影响大肠蠕动，进而导致便秘，如前述提及之女性病人即是因子宫颈癌而导致严重便秘。

为了长辈的健康，我们应该每天注意家中长辈是否有任何解便习惯的变化，以提早发现疾病、提早治疗，防止并发症发生。

## ■ 便秘的危险信号——早衰的鼓吹手

人到中年，正当踌躇满志，事业如日中天之时，有些人却被体力、精力的过早衰退所困扰；有的人诉说胃口不好、食欲缺乏；有不少男性因性生活发生障碍而难以启齿；也有的妇女抱怨痛经和尿路感染时有发生……其实这些都和便秘的作祟有关。

便秘会使胃肠功能紊乱。便秘时粪便滞留，有害物质吸收可引起胃肠功能紊乱而导致食欲缺乏、腹部胀满、嗳气、口苦、肛门排气多等表现。

便秘会引起性生活障碍。这是由于每次长时间用力排便，使直肠疲劳、肛门收缩过紧及盆腔底部痉挛性收缩的缘故，以致大脑皮质、丘脑下部高级中枢功能紊乱，使脊髓中枢深受抑制，清醒状态性刺激达不到射精中枢阈兴奋所需地步，不射精或性欲减退，性生活没有高潮等。

便秘会导致尿路感染。便秘易使妇女发生痛经、阴道痉挛，并产生尿潴留、尿路感染等病症。临床观察发现，便秘引发尿路感染主要是因为受充满粪便的直肠和乙状结肠的影响，膀胱发生扭曲移位，导致输尿管扩张而引起肾脏积水和膀胱排空障碍，细菌得以在尿液中大量繁殖，并随输尿管逆行感染。据临床统计，此种现象以女性多见，但儿童中亦不谓少数，值得重视。需要提醒的是，发生此类尿路感染的病因常被病人、家属和临床医师忽视，以至于病情拖延不愈。

便秘会影响生活质量。慢性便秘的人由于经常感到腹部胀满甚至胀痛，破坏了好心情，会觉得做什么都没劲，即使是参加结婚酒宴、生日"派对"，也玩不好。大便干结，想解又解不出的时候，会翻来覆去睡不着，睡不好觉便会无精打采，做事情没有精神。大便秘结的人，不能及时排出浊气，浊气上熏于头会感到头晕头胀而影响思维活动，上熏于口会觉得口中不爽，常有口臭，怕被别人闻到，连讲话都不敢与人靠得太近。大便秘结的人，面部容易出现黑斑，看上去要比实际年龄大许多，青春的容颜不再光顾，还有因便秘引起的肛肠疾病，每一次排便都成为令人害怕的事情。

## ■ 便秘的危险信号——自律神经功能紊乱

自律神经包括交感神经与副交感神经，是两组功能相互对抗的自律神经。这一对神经与胃肠道功能关系非常密切，胃肠道平滑肌的收缩与舒张，消化液的分泌，肠蠕动的增加与减少，都与它相关。

当交感神经兴奋性增强时，胃肠运动与消化液的分泌受到抑制，副交感神经兴奋性增高时，就出现相反的情形。这一对神经受大脑高级中枢的调控，过度的紧张、焦虑、忧伤、悲哀、愤怒或思虑过度引起大脑皮质功能紊乱，进一步影响控制自律神经的大脑中枢，使自律神经功能紊乱，特别可使交感神经兴奋性增加，从而出现胃肠运动功能减弱，消化液的分泌减少，粪便在肠道滞留的时间延长，就会出现大便秘结的情况。长期大便秘结反过来也会影响人的情绪，导致自律神经功能紊乱。

因此，对于便秘且伴有焦虑、抑郁等精神症状的病人，要弄清楚究竟是自律神经功能紊乱引起便秘，还是便秘影响了人的情绪。在治疗便秘的同时，注意情绪方面的调节，必要时请心理医生帮助解决。在日常生活中，注意保持乐观的

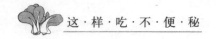

生活态度，避免不良的情志刺激，避免思虑过度，并及时调整自己的情绪变化。

## ■ 便秘的危险信号——肛肠病的罪魁祸首

便秘可以说是引起肛肠疾患的罪魁祸首。

因为长期便秘的病人，多数粪便干硬，而致排便困难。因此，排便时往往需要用力，常可因此撕裂肛管。肛管反复损伤可导致伤痕扩大，经久不愈，并被粪便中的细菌感染，形成炎症、渗出、溃疡。便秘也可直接引起或加重肛门直肠疾患，如肛裂、痔疮、乙状结肠扭转、直肠癌等。所以，肛肠科医生谆谆告诫我们，若要防止肛肠疾患，保持每天的大便通畅是第一要义。

### 肛裂

肛裂的典型临床表现为疼痛、便秘和出血。病人在排便时往往因粪块刺激溃疡表面而感到肛门瞬间灼痛，一般持续几分钟后疼痛自行缓解。但几分钟后会再次感到剧痛，并持续半小时到数小时，甚至坐立不安，疼痛难忍。大便时滴血多为鲜血，可附着在粪便表面，便纸上也可见有鲜红色血迹。

### 痔疮

痔疮在临床上具有便血、痔块脱出、疼痛、瘙痒等特征。其出血的表现多为无痛性的鲜血，在大便后发生。病人常在便池中滴入鲜血或便纸上见到少量鲜血，严重者可表现为喷射状的鲜血。痔块脱出的表现为大便时可感觉有一痔块脱出，便后又自行缩回。严重时则必须用手将痔块推回，有时在行走、咳嗽时痔块也会脱出，病人会有一种肛门被异物嵌顿的感觉。痔疮有内痔、外痔和混合痔的区分。内痔一般不痛或仅有坠胀感，只有当内痔和混合痔因感染和坏死时，才会有局部的剧痛。瘙痒发生在内痔晚期或痔块脱出时，常有炎症分泌物流出并刺激肛门周围皮肤引起剧烈瘙痒，使病人感到极为难受和尴尬。

乙状结肠扭转

乙状结肠扭转多见于男性老人，和长期便秘史有关。主要表现为腹部绞痛难熬，腹胀程度严重。一经诊断乙状结肠扭转，最好及时做手术治疗。因为肠扭转一旦发生后，可在短时期内发生肠绞窄、坏死，其病死率较高，切不可延误病情。所以，经外科手术复位或切除是最切实可行的选择。

一般认为，便秘病人的饮食多为高肉食、低纤维，这样的饮食结构往往促进肠道内某些厌氧菌的生长。肠道内的胆固醇和胆盐经厌氧菌的分解作用，可导致不饱和的胆固醇增加，进一步代谢分解可产生致癌物质或辅癌物质。据资料表明，严重便秘者约10%患有结肠癌。

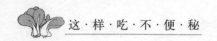
## ■ 便秘的危险信号——美丽的刀斧手

爱美是人的天性。无论是豆蔻年华的花季少女还是意气风发的青春少年,当光洁的面庞上长满了大大小小的疙瘩,有的甚至化脓留疤,不能说不是一件令人尴尬而又遗憾的事。这大大小小的疙瘩就是所谓的痤疮,俗称粉刺、青春痘。它是皮肤病中的常见病、多发病。好发于青年男女的面部、前额、背部等。如不及时医治和预防,一些病人会长久留下瘢痕,损害面容,有碍美观。

妇女年过四十,为了留住青春的尾巴,往往更加注重美容,然而恰在此时,很多人的脸上出现黄褐色或淡黑色斑块,医学上叫做黄褐斑。丰韵犹存的职业女性常常对此忧心忡忡。

痤疮是由于皮脂腺大量分泌皮脂,皮脂无法排出而使毛囊阻塞,而产生的炎症,是一种慢性炎症疾病。由于受机体内雄性激素的影响,多发于青春期,但是最近,在20岁或30岁左右开始产生痤疮的人也很多。

据大量的临床观察,大部分痤疮患者均有不同程度的便秘、大便干结或排便不爽等伴发症状,毒存体内是造成痤疮发生的根本原因。因为消化管道不畅及大便不通畅,积存在肠内的粪便就会使肠内的不良细菌繁殖,毒素就会存留于体内而被机体重新吸收，形成容易引起皮肤疾病的有毒物质，并且随着血液一起在体内循环。这种毒素被机体重新吸收后外发于肌肤，蒸熏面部就会发生痤疮，同时这种毒素可阻碍人体气机，影响人的气血运行，导致内分泌失调，致使痤疮更进一步加重而缠绵不愈。

## ■ 便秘的危险信号——脑出血的肇事者

高血压病是脑血管意外的主要危险因素，据统计资料表明，有70%～80%的脑出血是由高血压所致。那么，便秘与高血压又有什么联系呢?有人曾测量，便秘病人排便时增加腹压的同时，血压可明显上升1.33～2.66千帕（10～20毫米汞柱），甚至更高。其原因是高血压病人在排便时用力努挣，往往会使腹压升高，全身小动脉发生短暂性强烈痉挛，这时心跳加快，心脏收缩加强，心排血量增加，血压会突然进一步升高。当压力超过血管壁的承受能力时，则血管破裂。如果病人已经有脑动脉硬化，在努挣大便过程中会导致脑部小动脉强烈痉挛，以后就发生脑部小动脉强制性扩张，出现了急性脑循环障碍使颅内压增高，发生脑出血，此时病人会出现剧烈头痛、头晕恶心、视物模糊、眼睛发黑、抽搐、意识不清，甚至昏迷。并常常伴有口眼歪斜，语言不利，半身不

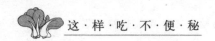

遂等脑卒中症状。

可以这样说，便秘是加重高血压病的重要因素，是引起脑出血的重要促发因素。所以，高血压的病人应注意保持大便的通畅，因为保持大便通畅，可以起到稳定血压、预防脑卒中发生的作用。

老年人中高血压多，便秘也多。而且治疗高血压的药物如钙离子拮抗药、血管紧张素转换酶抑制剂等很易诱发和加重便秘。因此，平时应注意食用含纤维素多的食物，如新鲜水果、蔬菜和各种杂粮等。若有便秘情况，应采用有效措施，如针灸、腹部按摩，在医生指导下服用一些通便的药物等，切不可用力努挣，否则后果不堪设想。

## ■ 便秘的危险信号——心脏疾病的帮凶

便秘会诱发心脑血管疾病的发作。临床上关于因便秘而用力增加腹压，屏气并使劲排便而造成的心脑血管疾病发作有逐年增多趋势。

近年来，很多中年人和老年人因便秘诱发心绞痛、心肌梗死、脑出血、脑卒中（中风）等也时有所闻。冠心病病人大便不爽，用力努挣，会使腹压瞬间升高，血流大量集中于腹部，而左心室负荷剧增，导致心肌严重持久缺血，引起心肌坏死，使心肌出现不同程度的梗死。病人往往会突然发生剧烈的心绞痛、胸闷、恶心、呕吐、大汗淋漓。更为严重的是病人会在用力排便的过程中发生休克，此时面色青紫，反应迟钝，烦躁不安，皮肤湿冷，直至昏厥。有些冠心病病人因为用力排便，突然死亡在厕所里的事情，在临床上屡见不鲜。

## 便秘的危险信号——老年性痴呆症的搭档

便秘会影响大脑功能，主要是指风烛残年的老人。因为年老体衰，气虚乏力，虽有便意，临厕努挣，大便仍艰涩难排。长此以往，便秘使代谢产物久滞于消化道，并出于细菌的作用产生大量有害物质，如甲烷、酚、氨等，这些物质部分扩散进入中枢神经系统，会干扰大脑功能，突出表现是记忆力下降、注意力分散、思维迟钝等。所以，便秘会使老年性痴呆提早出现，一旦形成，又会加重病情。

## 便秘的危险信号——帕金森病的忠实伴侣

帕金森病是发生在中年以上的黑质与黑质纹状体通路变性疾病。临床主要特征为进行性运动徐缓、肌强直、震颤及

姿势反射丧失。很少有人想到该病与便秘的关系。其实，患帕金森病病人中，有一部分人就是以顽固性便秘作为前驱症状或伴随症状的。

帕金森病为什么会出现便秘呢？我们通常所看到的震颤是病人肢体的促动肌与拮抗肌节律性（每秒4～6次）交替收缩而引起的，手指的节律性震颤形成"搓丸样动作"；强直（"铅管样强直"）是由于肢体的促动肌与拮抗肌的肌张力增高所致；当震颤与强直同时存在时，病人在肢体屈伸过程中犹如齿轮在转动一样，出现"齿轮样强直"。肌强直加上姿势反射丧失，病人就会出现一系列运动障碍，如"面具脸"、头部前倾、躯干俯屈，行走时上肢无摆动及"慌张步态"等特殊姿势。这一系列表现都是外在的，医生能发现得了。

近年来，医学研究已明确，本病的主要原因在于黑质被破坏，由黑质产生的多巴胺这一纹状体抑制性神经递质减少，黑质纹状体通路的神经纤维变性。黑质与黑质纹状体通路变性不仅仅影响头面肌肉与躯体肌肉，内在的神经、肌肉同样也会受到影响。1994年《国外医学书经病学·神经外科学分册》报道了"帕金森病的胃肠功能障碍"情况，由于帕金森病会出现肌张力的异常增高，导致胃肠道功能失常，蠕动减慢，故很容易出现便秘。

因此，病人若出现不明原因的便秘或便秘伴有震颤、麻痹等症状时，应考虑帕金森病的可能性。

# 便秘和食物的密切关系

■ 大便是由食物残渣和水分组成的，因此，大便数量和次数的多少与饮食有密切关系。对于没有器质性病变的一般人来说，饮食不当是造成功能性便秘的最主要原因之一。通过应用饮食疗法，增加膳食纤维的摄取量，补充足够的饮水量，刺激肠蠕动，软化粪便，从而达到改善排便功能与治疗便秘的作用。所以，饮食疗法是防治大便秘结简单易行的首选方法。

# 第一步：膳食纤维是排便保健之源

## ■ 膳食纤维是清洁的卫士

如今随着生活水平的提高，人们的食物越来越精细，营养也越来越丰富。然而，许多人在享受美味佳肴的同时，一种看起来粗糙但对人体健康又更关重要的营养成分的摄入却正在减少。许多年轻妈妈一看到芹菜上的"筋"、韭菜里的"渣"、蒜苗中的"丝"，都要仔细地去掉，生怕卡住孩子的嗓子，或是怕吃进肚里不好消化。其实，这些妈妈是把食物中的膳食纤维误认为"渣滓"、"废物"了，要知道膳食纤维是人体第七营养素，对健康的帮助太大了。膳食纤维是指食物中部分不能在肠道内被消化吸收的物质，主要有纤维素、半纤维素、果胶、树胶、木质素等。这些物质虽然没有什么营养价值，但是膳食纤维特有的化学性质您却一定要了解一下。膳食纤维具有膨胀作用，能吸附水分，形成胶体，

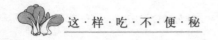

促进离子交换，并具改善肠道微生物菌落和产热低的特性，这些特性对人体的健康非常重要。让我们来看看膳食纤维的好处吧。

**膳食纤维的功能**

1.保护您的肠和胃。

膳食纤维包括可溶性和不可溶性两类。可溶性膳食纤维主要成分包括果胶、树胶、黏质等，它存在于豆子、水果、木耳、洋菇、藻类等食物中，对胃肠健康的作用尤为显著。这类纤维摄入体内，经结肠细菌酵解，可产生短链脂肪酸，提供结肠黏膜所需能量的70%，并可调节神经系统功能平衡、激素水平，刺激消化酶分泌等。此外，它还可以直接扩张血管，促进结肠血液循环。这些作用是维持胃肠道正常结构与功能的重要保证。如果膳食纤维缺乏，会引起胃肠道结构损害和功能障碍，使得溃疡性结肠炎等发病的危险性增加。

另外，可溶性膳食纤维的容水量大，可为肠内菌群提供理想的增生场所，使肠内细菌在数量上得以增加，反应抑制某些病原菌。

2.消除便秘。

因为，膳食纤维大部分不被肠道消化吸收，是粪便形成的物质基础，可以增加粪便重量和容积，增加其对消化道的生理刺激作用，促进肠蠕动，增加直肠的便意感。有些纤维成分还能将水分吸附到固体部分，使粪便膨松变软，易于排出体外。因此，多食富含纤维成分的蔬菜和水果具有预防和治疗便秘的作用。

3.排除毒素。

肠道内细菌产生的各种酶，可分解食物残渣，产生一些有毒物质，在正常情况下被人少量吸收进入血液后，可在肝内转化、解毒，对健康并无影响。但是，如长期便秘，则可使大量毒性物质在人体内积聚，超出肝脏解毒能力，此时就会引起慢性中毒症状。膳食纤维在肠道内起到清道夫的作用，它可将各种毒素吸附、稀释、包裹，并促使其迅速排出体外。

4.抑制胆固醇的吸收。

摄取足够的膳食纤维，可抑制胆固醇的吸收，吸附过多的胆固醇并将其带出体外，有利于维持心血管系统的功能，能有效地预防糖尿病、高脂血症等疾病。

5.胆结石"克星"。

膳食纤维可以增加粪便胆汁酸的排泄，减少胆汁酸的再吸收，起到预防胆结石的作用。

6.减肥。

膳食纤维在肠道内限制了部分糖和脂质的吸收，使体内

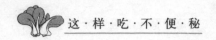

脂肪消耗增多。同时纤维吸水后可膨胀数十倍，让您吃一点就有饱腹感，尤其在晚上使您对抗饥饿的能力更强，助您轻松减肥。

7.美容。

人体在代谢过程中所产生的乳酸和尿素等有害酸性物质，一旦随汗液分泌到皮肤表层，就会使皮肤失去活力和弹性，尤其是面部肌肤会变得松弛灰黯。膳食纤维可促进新陈代谢，为人体解毒，有利于健美肌肤。

8.降"癌"。

正因为膳食纤维缩短了粪便在大肠内的停留时间，并具有排毒和解毒的功能，使得大肠内的致癌物质与肠壁接触的机会减少，并促使其迅速排出体外。

9.提高免疫力。

人的肠道内存在大量的微生物，包括对健康有利的益生菌。它们能产生人体必需的维生素K等营养物质，并提高人体的免疫功能。膳食纤维虽不被人体吸收，但到了大肠后，却能被微生物分解、利用，成为微生物的饵料，促进其生长繁殖、造福健康。

以下是含有大量膳食纤维的食品数据图：

## 食物种类纤维量 （100克食物中的含量）

| 种 类 | 食 物 | 纤维量 | 食 物 | 纤维量 |
| --- | --- | --- | --- | --- |
| 谷类 | 大麦（煮熟的） | 6.5克 | 米（煮熟的） | 0.8克 |
| | 黑面包 | 5.1克 | 麦糠 | 44.0克 |
| | 白面包 | 2.7克 | 蛋糕（不含水果） | 2.8克 |
| | 水果蛋糕 | 3.5克 | 乳酪蛋糕 | 0.9克 |
| | 布丁 | 2.0克 | 水果派 | 2.6克 |
| 水果类 | 苹果 | 2.0克 | 杏 | 2.1克 |
| | 香蕉 | 3.4克 | 樱桃 | 1.7克 |
| | 无花果 | 2.5克 | 葡萄 | 0.3克 |
| | 香瓜 | 1.0克 | 橘子 | 2.0克 |
| | 凤梨 | 1.2克 | 草 | 2.2克 |
| 蔬菜类 | 芦笋 | 1.0克 | 四季豆 | 3.2克 |
| | 高丽菜 | 3.4克 | 胡萝卜 | 3.1克 |
| | 花椰菜 | 4.1克 | 芹菜 | 1.8克 |
| | 小黄瓜 | 0.4克 | | 1.5克 |
| | 蘑菇 | 4.0克 | 洋葱 | 1.3克 |
| | 烤马铃薯 | 2.5克 | 萝卜 | 1.0克 |
| | 菠菜 | 6.3克 | 地瓜 | 2.2克 |
| | 西红柿 | 1.5克 | | |
| 坚果类 | 杏仁 | 14.3克 | 栗子 | 6.8克 |
| | 椰子 | 13.6克 | 花生 | 8.1克 |
| | 胡桃 | 5.2克 | | |

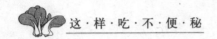

## 每日进食25g食物纤维

现代的人们，长时间坐着工作，会产生便秘倾向或经常性便秘。受到便秘困扰的人们，应尽量多吃膳食纤维，每天膳食纤维的摄入量不得少于25克。摄入时间分配应该是早餐5克，中餐10克，晚餐10克。

那么，什么是食物纤维呢？食物纤维是植物细胞的坚韧壁层，是植物性食物中难以被人体消化的物质，它的成分包括纤维素、半纤维素、木质素、果胶、藻胶、琼脂及其他复合糖等，均属多糖类；这些物质构成了谷皮、麦皮及蔬菜、水果的根、皮、茎、叶等；它们不被吸收，也不提供热量。食物纤维的营养价值虽低，但对人体的代谢却有很大作用。现代医学和营养学经研究确认了食物纤维可与传统的六大营养素并列称为"第七营养素"。传统富含纤维的食物有麦麸、玉米、糙米、大豆、燕麦、荞麦、茭白、芹菜、苦瓜、水果等。动物实验表明，蔬菜纤维比谷物纤维对人体更为有利。

所以，为了保证膳食纤维的摄入，应多吃蔬菜、水果、豆类及五谷杂粮。但是和其他营养素一样，膳食纤维也不是吃得越多越好，过量食用含膳食纤维较多的食品会引起腹胀、消化不良，特别是影响人体对钙、镁、锌等营养素的吸收利用，造成这些营养素的缺乏，危害健康。正确的饮食原则是：减少脂肪的摄入量，适当增加蔬菜和水果的比例，保持营养的均衡。

## ■ 含纤维素多的食物

### 谷类

粗米、粗米面包、胚芽米、荞麦面条、麦类、燕麦片，都含有纤维素。值得注意的是，同一品种，越精细纤维含量就越低。举例来说：粗米含量就高，可是精制白米几乎不含纤维素。

### 豆类及豆制品

小豆、大豆、蒸后发酵的大豆、青豌豆、豆腐渣食物，这些食品纤维素含量丰富，平时要注意多吃。食物纤维，不是从单一品种中摄取，而要从各种各样的食品中摄取。为解除便秘，这些是不可缺少的。

### 薯类

地瓜、土豆、山芋不仅可作为副食品，也可代替零食，但是消化不良者还是要适量控制。

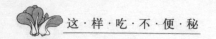

**海藻类**

裙带菜、海带、紫菜，不仅食物纤维含量高，微量元素及维生素含量也很丰富，对人体是非常有益的，热量很低，不用担心发胖，请放心食用。

**蘑菇类**

香菇、野菇，与海藻类一样，几乎不含热量，要多食用。要是减肥，这些也是最好的食品。

**蔬菜类**

牛蒡、南瓜、胡萝卜、扁豆、藕、萝卜、竹笋、菠菜等，要多食用，叶类菠菜之属、根类萝卜之属也要多食用。对于根块较硬的菜类，可以先加工一下或煮或炒，使之柔软再食用。

**果实类**

苹果、香蕉、草莓、橘子、西瓜要多食。果实类中草莓、橘酸性大，能开胃刺激肠蠕动，对解除便秘效果更加明显。

# 第二步：维生素的妙处

## ■ 维生素同样不可缺少

**维生素**

是维持生命所必需的有机化合物，也是调节生理作用的重要营养素，维生素分为脂溶性和水溶性两大类，主要靠食物供给。当人体长期缺乏某种维生素时，就会引起体内代谢的紊乱及维生素缺乏病，从而降低抵抗力，患各种疾病及传染病。维生素主要来源于植物，对机体的新陈代谢、生长、发育、健康起着极其重要的作用，是人类健康的使者，是美丽的源泉。其中优秀的抗氧化剂维生素C和维生素E，能够保护机体，阻止自由基在体内发生化学反应，减少毒素的产生，促进毒素排出，延缓机体衰老。维生素对便秘也很有疗效，其中维生素E具有调节自律神经的作用，能调节肠的运动功能。

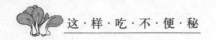 

维生素C

抗氧化，解毒。身体的衰老，皮肤的老化，与体内的自由基有很大的关系，它导致表皮活力下降和水合作用紊乱。当皮肤表皮受到来自太阳的紫外线辐射、污染和寒冷等等的侵害时，自由基的数量就飞快地增长。维生素C和其他抗氧化元素——例如维生素A和维生素K——协调作用，保护皮肤免受自由基的侵害，减少毒素的产生。

补充维生素C的方法

成年人每日所必需的维生素C摄取量是110毫克。为了满足我们的需要量，每天至少要吃2个生水果。要重视富含维生素C的蔬菜（甜椒、花椰菜、卷心菜、茴香……），如果有可能，多吃生的蔬菜和水果，因为维生素C对热很敏感，在煮的过程中会被部分地破坏。因为在水中煮过的蔬菜通常丢失其所含维生素C的50%。维生素在水中是可溶的，所有多余的维生素C会被尿液排出体外。 而且吸烟者需要更多的维生素C，因为烟草能够破坏这种维生素。

维生素E

抗氧化，抗衰老，解毒。维生素E是一种天然抗氧化剂，尤其是脂肪的抗氧化剂，有促进非饱和脂肪酸和组织脂类抗氧化作用。人随着年龄的增长，体内过氧化物增多，毒物堆积，自由基促使人衰老。而维生素E能阻止自由基的破坏作用，减少过氧化物的生成，同时为机体提供必要的营养，促进蛋白质的合成，促进免疫系统的排毒功能，延缓机体的衰老。维生素E素有"清道夫"之称。

**补充维生素E的办法**

成人每日所必需的维生素E摄取量为100毫克左右，一般情况下不要超过200毫克。在各种植物油、油料作物和人造奶油中含有大量的维生素E。为了满足您的需要，要求每日摄入2汤勺的向日葵油、菜油、花生油，或者橄榄油。某些黄油、人造奶油或者抹面包片用的肉酱中同样含有大量的维生素E。

**其他维生素**

1.维生素A。保持表皮结构、调节肌肤的厚度和弹性，参与水合作用，改善干燥皮肤的状况。维生素A含量丰富的食物有：牛奶、鸡蛋、胡萝卜、蔬菜叶、肝脏、鱼肝油、鱼卵、蛋黄、乳类等食品。

2.维生素D。活化的维生素D，可促进钙质的吸收而使骨质钙化，维持骨骼的正常。维生素D含量丰富的食物有：鱼肝、禽蛋、奶制品等。日光照射皮肤也可制造维生素D。

3.维生素K。与血液凝因有密切关系，绿色蔬菜中含量丰富。

4.维生素$B_1$。在糖类的代谢过程中，扮演着重要角色，故其摄取量应随热量的增加而增加。维生素$B_1$含量丰富的食

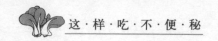

物有：谷类外皮胚芽、豆类、酵母、干果、硬果，以及动物的心、肾、脑。

5.维生素B$_2$。在体内氧化、还原作用中担任重要角色，其需要量亦随同能量的增加而增加。维生素B$_2$含量丰富的食物有：动物的心、肾，奶及奶制品，禽蛋、酵母及经过发酵的豆酱、豆制品，以及绿叶蔬菜和大豆。

6.维生素B$_6$。与新陈代谢有关，故其需要量由蛋白质的摄取量决定。维生素B$_6$含量丰富的食物有：麦胚、牛奶、酵母、荚豆类。

## ■ 维生素食补比药补好

一些人因膳食结构不合理而造成某种维生素缺乏，于是每天坚持吃含有维生素和营养物质的药丸进行补充。专家提醒，过量补充维生素有害无益，而通过膳食调节比药物补充维生素更为安全有效。

维生素是人体必需的营养物质，不能在人体内合成，必须由外界供给，人体一旦缺乏某种维生素就会引起相应的代谢障碍。如果依靠每天吃不同的维生素药片来进行补充，可能反而破坏健康。因为，水溶性维生素虽可从尿中排出，毒性较小，但大量服用仍可损伤人体器官，例如大剂量服用维生素C，可能刺激胃黏膜引起出血。脂溶性维生素如维生素A、维生素D等，摄入过多后不能通过尿直接排出体外，容易在体内大量蓄积引起中毒，并可能发生骨骼脱钙、关节疼痛、皮肤干燥、食欲减退、肝脾肿大等中毒症状，还会导致高血钙症，厌食、恶心、呕吐、肌肉乏力、肌肉疼痛等。

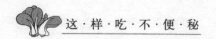

# 第三步：水是最好的"顺产"药

## ◼ 水的主要功能

1.水的主要功能是运输营养素、氧气，排泄废物。

水不断地在人体内循环，但它的功能并非仅仅是循环而已。水最重要的功能是运输氧气与其他营养。

凡经由口摄取的食物，都在人体内发生化学反应，以形成体内必需的营养。在此期间，水发挥着媒介的作用。当食物变成身体容易吸收的营养的时候，便会随着水（血液）运到身体内的各个组织，氧气也可以随着血液运到全身。

各种营养成分经由分解、合成后，更容易被身体吸收、利用。在这个代谢过程中，会不断产生代谢废物。然后，又会随着水，以汗、尿和粪便的形式，排出体外。

2.调节体温的作用。

由于人体含有大量水分，即使环境气温发生变化，也不会受到太大的影响。这正是因为水有不容易加热，也不容易变冷的性质，所以人体的体温才不会发生迅速的变化。

汗和呼气（随着呼吸一起从肺部蒸发的水分）也有调节体温的作用。当体温异常上升时，人体就会分泌汗液，拼命呼气；当汗和呼气变成气体时，就需要从周围吸收热能。这种热能称为汽化热，水的汽化热需要的能量很大，当1升的水从皮肤表面蒸发时，就会带走580kcal的热量。

即使是冬季，人体每天也会排出0.2升的汗；夏季的时候，一天将近排出1升的汗。成人男性的代谢量约为2400kcal，夏天的时候，排汗大约就占男性一天代谢量的四分之一（580kcal）。

3.维持生理恒定。

生理恒定是指将人体机能调整到良好的状态，并维持稳定环境的体制。由体内的神经系统、内分泌系统、免疫系统将人体的体温维持在36℃左右，并调节血压和血糖值，预防和治疗感染。而水正是促进这些系统正常发挥功能的根本。

另外，在荷尔蒙作用和酵素作用等调节人体的功能中，水也发挥了重要的作用。

水是维持体内环境平衡不可或缺的。

4.净化、调整人体功能。

水和血液一起在体内循环，将代谢废物排出体外。因此，只要随时补充适量的水，就可以促进循环，净化体内，让循环功能更加良好，使血液循环更加顺畅。

水可以排除肠胃内的有害物质，调整消化道的机能。同时水对于改善便秘和腹泻也十分有效。

## ■ 水是解除便秘的载体

饮食包括饮水和食物。民以食为天，食以水为先。饮水与饮食都是人类生存不可缺少的物质基础。

在日常生活中，人人都离不开喝水，水可滋润肠道，促进大肠正常蠕动，每天饮入水量的多少可直接影响大便的形成及排便的通畅。当饮水量明显不足时，肠道内水分随之减少，好比河里水少，船只会搁浅不能航行一般，肠道缺少津液的滋润，大便岂能通畅？古人曾形象地告诫那些肠中缺少津液滋润而导致大便干结者，要"增水行舟"，意思非常明确，就是说肠道一定要得到津液的充分滋润，大便才有可能通畅。由此可见，每天保持饮一定量的白开水，有助于大便通畅。如果能喝上6～8杯水，患便秘的人将大大减少。有学者对饮茶与便秘关系做过调查，发现每天饮茶者不易便秘。

有部分人不喜欢喝白开水，更有甚者整天不喝一滴水或汤，或者以饮料、牛奶或奶制品饮料代水，这些人常会有便秘现象，像这样的情况儿童尤其常见。

此外，肠道所受刺激物不足，肠蠕动减缓，食物残渣在肠道内停留过久，水分不断被重复吸收，导致大便干结，排便困难，或排便时间延长，二三天1次，甚至五六天1次。据有关调查报道：60岁以上老年人每天进食含0.8克以上粗纤维的蔬菜和水果者不便秘；每周食干豆类、牛肉及鱼虾类2次以上者不便秘；每天饮茶者也不便秘；肥胖指数在22.43kg/m²以上者不便秘。因此，我们要养成良好的饮食习惯，定时定量，不挑食，每天饮入足量的白开水。

## ■ 灵活补充水分

水是人体中的万能元素，它既是营养进入细胞的载体，又是体内废物和毒素排出细胞和人体的运送者。正是水的溶解特性使它成为地球生命极为独特和重要的元素之一，同时也是身体健康之必需。充分摄取高质量的水是实现健康活力的一个简单而又极为重要的因素。

每天，从我们的毛孔中蒸发掉2～4杯水；由脚底板蒸发0.5～1杯水；而排出的尿液也高达6杯之多的量。总的算起来，一般人每天由体内排泄出的水分多达12杯之多。

如果您读到这里还不觉得口渴，那就用这些吓人的数字来说服您多喝几杯水吧！

喝水是有学问的，我们的身体无法在同一时间吸收超过4大杯水的分量，而且根据专家研究，每隔15～20分钟补充一次水分，身体的吸收程度最好。也许刚开始练习每天喝大量的水会让您常常想到洗手间报到，可是经过几个星期后，身体就会自己调整适应。有人说为了保持充足的水分，最好把喝水想象成呼吸，因为当体内缺水时，您不会马上感到口渴，身体会先向外围器官"借水"，最主要的就是皮肤。当皮肤中无水可借时，您才会感到口渴。所以，当您感到口渴时，身体其实早已经"大旱"了。

正确地喝水，必须要把握三个时辰喝水，早上起床后喝500毫升，下午3点钟喝500毫升，晚上9点再喝500毫升。这是最重要的喝水的时间，其他的时间，可以陆陆续续再喝大约1000～1500毫升。不要等到口渴才喝，要养成有空就喝水的习惯。水分补给是顺畅排便所不可或缺的对肠有益的成分。人体本身如果水分不足，粪便会变硬。若要消除便秘，水分的补给是必要的。如果因担心虚胖而一味控制水分的补充，会造成便秘。体内所不需要的多余水分不仅会变成尿，而且会被包含在粪便当中排泄出去。如果能在摄取食物纤维的同时充足地摄取水分，食物纤维中就会含有水分，粪便会变得柔软而能顺畅排出了。需要注意的是，不要用果汁和清凉饮料水等来替代水。虽然可以适量地饮用一些，但果汁和清凉饮料大多是糖度较高、热量较高的饮品，身边常备大瓶装此类饮料的人一定要加以注意，以免饮用过量。

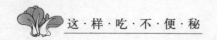

# 第四步：好细菌决定好便便

## ■ 好菌与坏菌的平衡取决于饮食与生活习惯

便秘不是人体消化系统的正常表现。在正常的生理状态下，突然发生便秘通常与摄入的食物中含有过量的、导致便秘的细菌有关。这个症状其实很容易得到纠正，人体的免疫系统在不能够正常维持自己免受有害物质侵袭时，能够做到的就是尽快将这些有害物质排掉，这是人体自身的一个自然保护机制。如果使用有益微生物来进行肠道微生物群的补充，这个状况会立刻得到改善。研究表明，任何类型的便秘都可以使用大量的微生物进行治疗。

粪便里的微生物数量减少或者是菌落平衡失调引起的危害，比营养物的增减对人体影响更多。除了生活饮食不规律外，有益微生物的匮乏与便秘有关。人类的粪便中70%以上是细菌和细菌的尸体。由此看来，与其在食物中多加纤维素，还不如多补充有益微生物从而让肠道产生更多的蠕动。

在人类的大肠内并没有重要的消化活动，大肠的主要机能在于吸收水分以及为消化后的残余物质提供暂时贮存所。大肠的消化作用，不是大肠的分泌物，而是在大肠中生存的细菌。空气和食物中的细菌，经口腔进入消化道，由于结肠运动缓慢，温度和pH值合适等，使细菌得以在这里大量繁殖。细菌中含有酶，能使纤维素和糖类分解或发酵，产生乳酸、醋酸、二氧化碳和甲烷等；还可使脂肪分解成脂肪酸、甘油和胆碱等；有些细菌能使蛋白质分解成氨基酸、肽、氨、硫化氢、组织胺和吲哚等，使粪便有臭味。结肠中的细菌，还能合成微量的维生素，主要是维生素B族复合物和维生素K，对人体代谢和维持某些功能具有重要作用。所以长期或不适当地使用抗菌素，使维生素的合成和吸收不良，易引起维生素缺乏或其他疾病。

大肠内的菌群组在正常情况下是稳定的，微生物之间的相互作用是调节结肠固有菌群的重要因素。肠道菌群还能产生各种物质抑制其他菌种生长，甚至以此作为自身调节的方式，控制自身生长，如大肠菌素和短链脂肪酸等，都具有抑制细菌繁殖的作用。任何抗生素都可导致结肠菌群的改变，如何改变取决于药物的抗菌谱及其在肠腔内的浓度。选择性结肠手术须预防性应用抗生素，如新霉素和红霉素，可减少术后伤口感染。血细胞减少的病人，预防性口服不易吸收的抗生素，如庆大霉素、万古霉素和制霉菌素等，可降低感染的发生。这些抗菌素抑制革兰氏阴性需氧菌，对厌氧菌则不起作用，已证明药物不会促进致病微生物的生长。

人体消化道内的细菌构成一个巨大而复杂的生态系统。消化道的细菌来自空气和食物，胃和小肠的细菌数量较少，从回肠末端，细菌数量开始增多，结肠内最多。一个人结肠内约有400多个菌种。粪便中的细菌约占其固体总量的1/3。厌氧菌为需氧菌的100～10000倍，主要菌种有革兰氏阴性厌氧类杆菌、梭形杆菌、乳酸杆菌、革兰氏阳性厌氧芽孢杆菌类、多种厌氧球菌。另外还有一类庞大的菌群，其中的大肠杆菌、变形杆菌、产气杆菌、抗酸菌和酵母菌等，在肠道内一般不致病，而且对人体很重要。

专家们给便秘组和非便秘组的老人都分别做了采样，不过非便秘组的老人倒还好，有的便秘患者本来就排便困难，医生们只好给他们用开塞露帮忙。这批老人都排除了近期使用抗生素等药物的情况，也就是说，肠道的菌群状况应该最为自然。

而取样分析后发现，在便秘组老人排出的粪便中，酵母菌、双歧杆菌和乳酸杆菌的数量都比非便秘组要少，而葡萄球菌、肠杆菌的数量则比非便秘组要高。"其实，双歧杆菌

好菌决定好硬度

和乳酸杆菌都是我们俗称的益生菌，它们可以促进肠道蠕动，对于健康排便很有益处。而肠杆菌则属于典型腐生菌，虽然其存在也有一定的作用，但如果数量太多，就可能产生太多的毒素，影响到身体健康。

在没有使用任何抗生素类药物干预的情况下，便秘者的肠道菌群情况已经如此，这可能是便秘导致的，但也可能便秘本身就和这个有关。肠道菌群紊乱可能诱发和加重便秘，而便秘者因为粪便在体内堆积，所以肠道内的环境也会变得更利于腐生菌生存，这可以说是一个恶性循环。

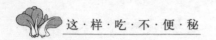

## ■ 常见的肠道细菌

肠道中有各式细菌，目前所知约有五百种、一百兆个以上的细菌。这些细菌大都能够清楚地区分为"好菌"或"坏菌"。好菌增加，肠道运作情况就会好转。反之，肠道运作就会变差。但身体在某种程度上还是需要坏菌，因为他们具有抵御外来细菌的重要功能。因此，维持肠道中好菌与坏菌的平衡非常重要。

例如"肉食主义者"的肠道，坏菌势力范围庞大，乳酸菌和比菲德氏菌则相对稀少。

如果威尔休菌的数量增加，便便会出现恶臭。坏菌产生的有害物质还会加速老化，容易导致疾病，心生焦虑，皮肤和头发也会粗糙枯黄。

体内的好菌势力庞大时，便形成富饶的细菌乐园。便便柔软，免疫力提高，对疾病有良好的抵抗力。心情稳定，皮肤也呈现健康光泽。"好菌多多，日和见菌适量，坏菌稀少"，这就是肠道中最理想的均衡状态。

### 大肠杆菌

数量过多虽然会令肠道蠕动变差但大肠杆菌却是防御外来坏菌的强大保镖。

产气荚膜梭状芽孢杆菌

令大肠中的物质腐败产生致癌及有害物质此菌一旦增生，便便就会带有强烈臭味。

日和见菌

不算坏菌也不是好菌，健康时并不会对身体产生任何影响。可是一旦坏菌增加，此菌种便会加速坏菌恶化。

乳酸菌

极度和善的体内居民。能促进肠道活性，帮助消化并提高免疫力。

比菲德氏菌

具整肠作用，制造维他命。且能抑制有害物质生成，对美容与健康而言，都是很重要的好菌。

嗜酸菌

嗜酸菌是大肠中非常重要的菌群，若能让其在肠道中成功地生存，将可免除由各种原因造成的便秘。

坏菌和好菌之间的平衡关系，会由于饮食或人际关系等造成的压力有所变化。食用足以作为坏菌养分的食物，坏菌数量便直线上升；反之，好菌则会增加。另外，当生活压力导致胃部和肠道的运作变差，坏菌也会增加。

# 食物的优胜劣汰

■ 饮食影响便秘是不争的事实，入口的东西是优质的"出口"的东西当然就便利，所以我们要明白食疗比药疗更自然保健。我们都知道"是药三分毒"，所以李时珍写的《本草纲目》全部都是食物。那我们吃些什么、怎么吃才能不便秘呢？这是有讲究的！下面我们从食物的分类来说说食物与便秘的关系，从而合理安排您的饮食。

# 第一大类：
# 阴性实物、阳性食物与便秘的关系

便秘在大家眼里不算大病，但是却是很多人的难言之隐，使人苦恼不已。其实八成以上的便秘患者的患病缘由都和饮食息息相关，而这个病的防治更是可以通过调整饮食来缓解。祖国医学认为，凡食物中各类纤维素含量较高的食物，中医食疗中属寒凉性质，都具有通便、清热、生津止渴作用，可以用来解除发热、口渴、便秘、心烦等症状。

关于食物阴阳的分类，国内与国外曾流传了一些阴阳定性与定量的标准和计分方法。 西方营养学借助科学仪器测定食物的成分，并研究食物中营养成分与人类健康的关系，比较重视食物的结构。而东方人认识食物首先要辨别食物属阴性还是属阳性。虽然东方人手中没有先进的仪器能够为食物的阴阳定性定量，但东方人可以从"象"出发，从食物的外形与味道，食物进入人体产生的寒热温凉作用，向上向外或向下向内作用的方向，以及食物生长的地点、气候、季节的

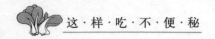

不同，判断食物的阴阳属性。

他们对大部分食物的阴阳定性定量可取得一致意见，但是有一部分食物的定性定量则出现了分歧，这是因为制定者从不同方面考虑与强调的结果。我们尽可能以客观的科学态度，全面考虑食物的寒凉温热四性，酸甘苦咸辛五味，食物的外形、颜色、气味，食物生长的地带、气候，以及进入人体后发挥的功能，然后对食物进行阴阳定性与定量，现在将部分食物的阴阳定性定量表提供给读者，以供参考。

**阳性食物的特点**

根茎类食物属阳。因此，牛蒡、洋葱、人参、藕、红薯、芋头、土豆等等根菜与叶菜相比较属阳（萝卜虽是根菜，但由于含水分较多，其性属阴）。

在味道中具有辛味和咸味的食物属于阳。比如具有辛味的生姜、紫苏、韭菜、大蒜、葱类、猪肝等都属阳。

生长在寒凉地区的食物属阳。

盛产于冬季生长较慢的食物多属阳性。

性质坚厚，不易腐烂，水分少的食物属阳性。

**阴性食物的特点**

叶类食物属阴。白菜、菠菜、卷心菜等叶菜和含水分较多的黄瓜、茄子、西红柿等果菜与根茎类菜相比，皆属阴。

酸、甘、甜、苦味的食物多属于阴性。咸味的鱼类、蛤类、海藻类偏属阴性。

生长于温暖环境的食物多属阴性。食物的产地可能是寒冷地区，也可能是温暖地区，可以是陆地，也可以是海洋，可以是塑料大棚，也可以是露天的土地。生产于温暖的地区、陆地上及塑料大棚中的食物和这些场所以外的地方生产的食物相比属阴。

盛产于夏季生长较快的食物多属阴性比如西瓜和西红柿、茄子等食物。

多汁、多叶、易腐烂、适合生食、不易保存的食物属于阴性食物。

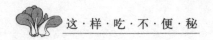

# 第二大类：
# 高压力食物和低压力食物与便秘的关系

## ■ 高压力食物对肠道有危害

高压力食物是指我们食用后，会产生各种不适、甚至造成慢性病，例如皮肤干燥、便秘、动脉硬化、糖尿病、高血压、心脏病甚至癌病变等的食物。

其实高压力食物就是我们通常所接触的高脂肪、高糖分、高蛋白质与高盐分的食物。

它们与我们的健康息息相关。

### 高脂肪食物

脂肪即油脂，是天然有机化合物的一类，它和蛋白质、碳水化合物构成生命的三大营养要素。高脂肪食物包括乳制品、煎炸食物、坚果、肉类等。它能为人体提供热量，供给人体脂溶性维生素，减少骨骼之间的摩擦，让食品风味更浓等等，所以说油脂这个朋友对我们来说是必不可少的。但是，现在有许多人将油脂看作是最大的敌人，提到油脂，有人就会敏感地想到"高血脂"、"动脉硬化"等问题，诚然高脂肪食物食用过多对人体伤害确实很大：高脂肪膳食会促进肠道肿瘤的发生；动脉血管硬化；黏液分泌过多；眼、耳、鼻、气管、胃液、泌尿生殖道等的充血，心肝胆肺肠及生殖系统功能障碍、精神和情绪伤的不安感等。研究证明，高脂肪膳食中的不饱和脂肪酸，虽能降低血脂，但有促癌发生的作用。所以我们对高脂肪食物的摄取要合理。

高压力食物对肠道有危害

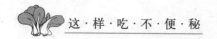

脂肪的来源有两个：一个是动物性脂肪，一个是植物性脂肪。在一天的膳食中，包括食物本身的油脂量，加上烹调中用油，每日脂肪要控制在50克以下。有的朋友惧怕冠心病，控制动物脂肪很严格，经常以植物油为主，甚至不吃动物油，这样会造成体内过氧化物过多。因为植物油中碳链不稳定、易氧化、如果适当地吃些动物脂肪，就会使碳链稳定，不易氧化并减少体内自由基的形成，所以一定要科学吃饭，讲究油脂的合理配比。

我们要把握好与高脂肪的亲疏关系，和高脂肪食物做个有分寸的朋友。

### 高糖分食物

根据食物中含糖量的多少，人们将其分为高糖、低糖和无糖食物三大类。含糖量较高的食物主要包括食用糖和各种谷物。低糖食物主要包括有蔬菜、水果和肉类。无糖食物主要包括各种食用植物油。糖分为两种，淀粉和果糖。糖的吸收对人体有很多好处但是过多食用高糖分食物比如蔗糖、果糖、麦芽糖和蜂蜜，以及含有高糖的食品如点心、饼干及其他小食品等，会产生许多弊端：

1.过多吃糖可因其在肠道分解而大量产气、产酸，易引起便秘、打嗝、吐酸水、消化不良、胀气、腹胀不适及食欲减退。

2.糖的吸收过多可使血糖升高，加重胰岛细胞负担，易产生胰岛素抵抗和高胰岛素血症，可能诱发肝病性糖尿病。

3.人体内血糖过高可转化为脂肪，可加速其在肝脏中聚集而引起脂肪肝。

先说说淀粉，它是一种碳水化合物。它的分子结构含有直链淀粉和支链淀粉两种，淀粉经加水受热形成平行的胶化囊状，形成网状的结合物，称为淀粉的糊化，糊化的淀粉容易接受淀粉酶和糖化酶的作用，而生成葡萄糖，为人体所吸收。淀粉是多糖，必须要转换成双糖或单糖才能利用。所以人的胃是不能直接消化淀粉的，吃进的淀粉类食品，在口腔中有唾液淀粉酶的消化作用，然后进入十二指肠，由胰淀粉酶继续进行消化作用，直至全部淀粉变成葡萄糖为止，然后再由小肠吸收转化成人体所需的热量。因此，吃大米须先煮成米饭，小麦面粉须先做成面条、面包、馒头、饼类等食品。

而果糖是来自于水果、蔬菜，是很简单的糖，吃进去很快就消化完全。因此，如果要补充糖分，应该要有一部分取自蔬菜、水果，它非常容易消化，不费力。

还有一部分糖来自加工糖，对人体危害较大，碳酸饮料、巧克力等食物中都添加了这一类的糖。所以减少高糖食

物（主要是减少淀粉和加工糖的摄入），自然可以减少便秘、低血糖等的发作，糖尿病的发生，歇斯底里的情绪反应，肠胃症状及癌症的发生。

### 高蛋白食物

高蛋白食物包括动物蛋白（肉、鱼、蛋、奶、海产）和植物蛋白（豆类、干果）。谁都知道蛋白质是好东西，因为对于任何生物，蛋白质都是必需的，因为它是每一个细胞的基础成分。不管是人类的肌肉、脑或指甲，动物的皮毛，树的枝干和叶子，或任何生长中的蔬菜，都需要蛋白质。蛋白质可以如脂肪一样在人体内燃烧而产生热量，它又可以改变为碳水化合物。但是碳水化合物与脂肪却不能做蛋白质的代替品，实际上，身体不可能在没有适量的蛋白质供应的情况下生长、发育或修复损伤。然而，多余的蛋白质也可能使人体活动不良或完全损坏。比如蛋白质摄取过多会中毒，会发觉口、唇、咽都有灼热感；皮肤有斑块，一抓就起斑；头痛、腰背酸痛、疲累等，这都是蛋白质中毒摄取过多所引起的像过敏病一样的征兆。

还有就是蛋白质有一个特殊点：它与糖、淀粉和脂肪不同，糖、淀粉和脂肪均不会因加热而变质，但是加热却会改变蛋白质，使之易在肠内腐败并引起严重干扰——就是这些因素使得孩童和成人生病。所有煮得太熟的蛋白质都难以消化而可能产生毒血症，尤以猪和小牛的肉，以及鱼、家禽，小的野禽、海鲜和乳酪等为甚。而且摄取高蛋白食物，会造成酸碱不平衡。所摄取的食物若以动物性肉类及蛋类做蛋白质的来源，所含的磷质通常相当高，它们属于酸性食物，会破坏肠道的平衡。

所以结论是：

1.蛋白质是人体不可或缺的天然建筑材料。

2.如果进食过量而多种的蛋白质，就算是在最完善的状况下，也会扰乱身体的化学作用。

3.数种蛋白质在一餐之内是不能共存的，所以最好一餐只吃一种蛋白质。

4.加热或烹煮动物蛋白质会使之变得较难消化，并在消化时增加它的腐败。

回溯16世纪，塞万提斯在《唐吉诃德》一书中幽怨地问："会有好东西嫌多的时候吗？"会的！蛋白质正是这样的"好东西"。

**高盐分食物**

盐是人体不可缺少的营养素，没有它的味道，人们的饮食该有多么的寡淡。它可以调节体内酸碱平衡，维持体液渗透压及肌肉的正常兴奋性，保持细胞通透性；它还能促进胃液分泌，增进食欲、活化唾液中的淀粉酶并促进唾液分泌。但是，值得注意的是，食用盐过多摄入人体会引起一系列疾病。食盐中主要成分是钠，它是冠心病、高血压等心血管系统疾病的主要诱因。专家们对一些长寿地区与长寿老人的食谱调查发现：他们都有低盐饮食的好习惯，我国北方地区用盐量一般较南方地区高，因而患高血压病者，也多于南方。

按科学测定，一个人每天盐的摄入量只需0.5～1克就可以正常生活。体力劳动者，由于出汗多，可以稍多吃些，一般最高每天不得超过5克为好。

为了减少食盐的摄入，最好摄以天然食物为主，尽量减少或避免用盐或酱油腌渍过的食物（如咸蛋、咸菜等含钠量高的食物）。此外，要吃好的盐、低钠的盐（如无钠食盐、食疗盐等），精盐经过加工后，清除了原盐中含有泥、沙杂质，减少了污染，更加清洁卫生。

值得注意的是婴儿的肾脏未充分发育，缺乏排除血液中含量过多的钠离子的能力，平时让婴儿食进过多的盐，势必造成婴儿肾脏的过重负担，出现肌肉无力、怠倦、嗜睡。食物中盐分过多使体内钾离子从尿液中排出，还会造成缺钾现象，产生心律失常与代谢性碱中毒，而有些家长常用成年人的口味来调制儿童食品，这是使儿童每天摄入过量食盐的一个主要原因。因此，要让儿童的食物少放些盐，宜淡不宜咸，以免影响儿童健康。

## 低压力食物的妙处

所谓低压力食物就是均衡调和、中庸平和的食物。它包括：低脂肪、低糖分、低蛋白质、低盐分、高纤维的食物。能够让我们保持身心健康，让我们均衡，让我们身体回归到弱碱性。

其中低糖食物（就是一切富含寡糖的食物，寡糖的食物就是含低聚糖多的食物）就是我们肠道有益菌双歧杆菌最需的食物如：大豆、蜂蜜、洋葱、芦笋等。它对防治便秘有很大的作用。高纤维食物对便秘的作用就更不用说了，它可以达到人体自我调节及清除废物的功用。

这些低压力食物可以使肠道内建立有益的菌落。因为以全谷类为基础的饮食，会促使肠道内有益菌落的生存。如果饮食被过多脂肪、糖类、肉类或人工化学添加剂（如食物中残存的农药、防腐剂、抗生素、激素等）取代时，有益菌落会死亡，取而代之者是有害的微生物。此时，可以借着低压力食物来改善健康状况。

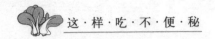

# 第三类：
# 酸性食物和碱性食物与便秘的关系

## ■ 碱性食物可以治疗便秘

　　韩国汉城大学医学内科教授曾经对患有便秘一年以上的15位患者进行了临床实验，并于1989年9月21日在《水与健康及疾病演讲会》发表了实验结果：结果显示，定期喝碱性水的12位患者，在1~2周内每天至少就有一次排便。因此，教授得出结论：便秘患者喝碱性水的前后有明显的差别，并且所有人的症状都得到缓解，患者的自觉症状也有了明显的好转，究其原因，是因为大肠为了顺利排便要在大肠壁分泌润滑剂，但由于大肠过于酸性使得血液循环不顺畅，润滑剂的分泌不足，而喝碱性水后就能起到调整肠内酸碱度，促进润滑剂分泌的效果。

　　正常人血液的PH值在7.35~7.45之间，为碱性体质者，当身体处此弱碱状态时，体内极为复杂的各种生化作用均可以发挥极致。所有废物的排除，也能快速且彻底，不会累积在体内，产生便秘的情况就很少。相反人的体液PH在7.35以下，身体就会处于健康和疾病之间的亚健康状态，医学上称为酸性体质者。与碱性体质者相比，酸性体质者常会感到身体疲乏、记忆力衰退、注意力不集中、腰酸腿疼，便秘难耐到医院检查又查不出来什么毛病……

您是否有以下情况？如果有五种以上与您自身情况相符那就要注意补充碱性食物的摄取了：

1.皮肤没有弹性、暗淡无光泽（酸性体质皮肤无光泽）；

2.香港脚、四肢容易冰凉；

3.经常便秘；

4.稍做运动即感疲劳，一上车便想睡觉；

5.上下楼梯容易气喘；

6.肥胖、下腹突出；

7.步伐缓慢、动作迟缓；

8.感冒频繁；

9.脸上容易长痘或粉刺；

10.情绪不稳定，容易发怒；

11.牙龈经常出血，外伤口愈合慢、容易淤青；

12.胃肠、肝、肾功能不好；

13.口中常有异味。

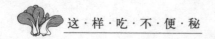
## ■ 平衡吸收酸碱性食物

　　人体体质的酸碱平衡是物质正常代谢的结果，这与摄入膳食和食品的酸性、碱性有密切关系。区分食物的酸、碱性是根据这种食物在体内最终的代谢物来划分，外行人的想法，以为酸的东西就是酸性食物，诸如一看就会令人流口水的草莓、柠檬等，其实，这些东西正是典型的碱性食物，麻烦也就在这个地方。其实食品的酸、碱性决定于食品中所含的元素种类与数量。所含磷、硫、氯等元素居多的食品称酸性食品。所含钙、钠、钾、镁等元素占优势

的食品称碱性食品。

比如橘子，橘子是碱性食物。别看它味道酸，但它在人体内进行分解代谢后，却增加了血液的碱性。同样的，有益于美容的醋味道也是酸的，可同样也是碱性食品。蔬菜、水果中含有较多的钾盐、钠盐和有机酸，它们在人体的代谢产物内高含钙、镁、钾、钠等阳离子，所以蔬菜、水果都被称为"碱性食物"。

因此，酸性食物包括：

1.肉类、鱼类、蛋类。

2.所有淀粉类和谷类，尤其是经过精制加工后的淀粉类（如白米、白面包、白面条、饼干、冲泡式的精磨餐包等）。

3.所有甜食，尤其是白糖、精糖、精盐所制成的果酱、果冻、糖浆、糖果、冰淇淋、饮料（饮料极度酸性，且很快侵蚀牙齿）、巧克力、罐头水果等。

4.调味料、泡菜。

5.葱、蒜、荤类。

6.部分豆类及部分坚果类，尤其是花生、豌豆、扁豆。

7.所有油类及奶油，油腻及油炸、油煎食物。

8.谷类可借适当的烹调及处理，减少它的酸性程度。譬如面包，倘若经过烤箱，稍微烘烤，其中的淀粉会转变成果

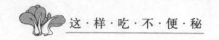

糖。当它们转成这种型态时，就好像水果中的糖分，成为极易消化的碳水化合物。许多全谷类（糙米、糙米粉、黑面包、小麦胚芽等），与加工精制的谷类比较，酸度明显降低，因此大家应尽可能食用全谷类。

| 强酸性食品 | 蛋黄、乳酪、甜点、白糖、金枪鱼、比目鱼。 |
|---|---|
| 中酸性食品 | 火腿、培根、鸡肉、猪肉、鳗鱼、牛肉、面包、小麦。 |
| 弱酸性食品 | 白米、花生、啤酒、海苔、章鱼、巧克力、空心粉、葱。 |

## 酸碱食物列表

碱性食物主要分为：

1.蔬菜。几乎所有蔬菜，尤其是绿叶蔬菜都属于碱性食物。它们富含丰富的维生素及矿物质，能够为身体增加养分。蔬菜中的大量纤维素还能够使人体的消化功能得到改善，保持肠胃的健康。所以，非常适合用它们来中和体内大量的酸性食物如肉类、淀粉类，帮助食物及时消化和排泄。

2.水果类。

3.海藻类。

4.坚果类。

5.发过芽的谷类、豆类。

| 强碱性食品 | 葡萄、茶叶、葡萄酒、海带、柑橘类、柿子、黄瓜、胡萝卜。 |
|---|---|
| 中碱性食品 | 大豆、蕃茄、香蕉、草莓、蛋白、梅干、柠檬、菠菜等。 |
| 弱碱性食品 | 红豆、苹果、甘蓝菜、豆腐、卷心菜、油菜、梨、马铃薯。 |

## 决定食物酸碱性的其他考量因素

1.成熟度与否。

成熟的蔬菜通常为碱性；未成熟的水果，酸味重或涩味浓，为酸性食物。

2.有机栽种或无机栽种。

蔬果若生长在无机或喷洒化肥农药的土壤中，土壤所含的矿物质原本就缺乏，所以生长的蔬果碱性矿物质不足，偏为酸性，不如有机蔬果为健康的碱性食物。

3.发芽与否。

所有含植物蛋白的坚果、豆类、核果、谷物均为酸性食物，但有例外，例如豆类中的黄豆，坚果类的杏仁、巴西豆，种子类的芝麻，谷物类的乔麦、小米等。

含植物蛋白的种子等，若能经由泡水、催芽、发芽或到形成芽苗，则酸性渐减而碱性渐增，最后反而形成具足碱性的食物。

4.其他。

食品添加剂，加工、精制食物及各种碳酸饮料，处方用

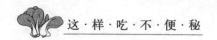

药，合成性维生素丸，其他各类合成性药物，均为阴性酸性食物，呈现酸性反应。

5.牛奶酸碱性各有说辞。

## ■ 压力过大造成人体内酸碱失衡

还有一种酸性体质的原因，那就是都市人精神上的压力反应。从外面而来的压力，透过间脑而传到副肾和脑下垂体，经荷尔蒙分泌再传达到各器官，此时，若测定血液中的钙离子，一定会比正常值下降，也就是压力使血液中的钙离子降低，使血液变成酸性化。总之，环境污染及不正常生活及饮食习惯，使我们体质逐渐转为酸性、生活步调失常会造成酸性体质、情绪过于紧张、动手术之身体的负荷都易让体质变成酸性。

1.保持良好的心情、情绪对体液酸化影响很大。适量运动以及杜绝抽烟、酗酒等不良嗜好。

2.不吃消夜。通常晚上八点过后进食就称之为宵夜。因晚上人体活动力低，且大部分处于休息状态，因此食物留在肠子里会变酸、发酵、产生毒素，使体质变酸。

3.要吃早餐。人体在凌晨4：30体温达到最低点，血液循环会变慢，如果睡太晚再加上不吃早餐，血液循环变慢，氧气减少，形成缺氧性燃烧，会使体质变酸。

4.调整饮食结构，酸碱食物的比例建议为20：80。多喝碱性离子水，少喝酸性水，如纯净水、可乐等。身体的健康与否，在于我们平日的保健，多一分关心，将多一些健康。

### 常见的碱性食物和酸性食物

| 食 物 | 碱 度 | 食 物 | 碱 度 |
|---|---|---|---|
| 海带 | +14.60 | 蛋黄 | −18.80 |
| 四季豆 | +12.00 | 大米（精） | −11.67 |
| 西瓜 | +9.40 | 糙米 | −10.60 |
| 萝卜 | +9.28 | 牡蛎 | −10.40 |
| 茶（5克） | +8.89 | 鸡肉 | −7.60 |
| 香蕉 | +8.40 | 鳗鱼 | −6.60 |
| 胡萝卜 | +8.32 | 面粉 | −6.50 |
| 梨 | +8.20 | 鲤鱼 | −6.40 |
| 苹果 | +7.80 | 猪肉 | −5.60 |
| 柿子 | +6.20 | 牛肉 | −5.70 |
| 南瓜 | +5.80 | 干鱼 | −4.80 |
| 马铃薯 | +5.20 | 啤酒 | −4.80 |
| 黄瓜 | +4.60 | 花生 | −3.00 |
| 藕 | +3.40 | 大麦 | −2.50 |
| 洋葱 | +2.20 | 虾 | −1.80 |
| 大豆 | +2.20 | 面包 | −0.80 |
| 牛奶 | +0.32 | 干紫菜 | −0.60 |
| 豆腐 | +0.20 | 芦笋 | −0.20 |

注：碱度是以100克食物的灰分水溶液，用0.1mol/L酸溶液滴定所消耗的升数，"+"示碱。

酸度是以100克食物的灰分水溶液，用0.1mol/L碱溶液滴定所消耗的升数，"−"示碱。

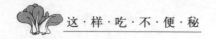

# 第四类：
# 悦性食物、变性食物和惰性食物与便秘的关系

人们的情绪变化也可以影响正常的肠蠕动，当情绪紧张、抑郁时，肠的蠕动功能发生紊乱，有时出现大便次数增多，有时又会出现便秘。一般短暂性的精神紧张，可使肠蠕动增加，便意增多，大便溏薄。但这种情况可能很快会随着紧张情绪的缓解而消失，临床上我们常见有些人情绪不愉快，闷闷不乐，特别是学生在遇到考试时，会出现便意频频，大便不成形，而当不良情绪缓释，考试因素解除时，可能会出现短时间排便减少。若长期精神抑郁，导致自主神经功能紊乱时，会经常出现便秘。临床上一些精神病人，整日闷闷不乐，或狂躁不安，饮食无规律，睡眠减少，大便多日1次，这就是由于情绪引起的自主神经功能紊乱，导致肠壁肌肉运动失常，影响肠内容物的顺利通过，使粪便不能向下运行而产生的便秘，通常把这类便秘称为功能性或神经性便

秘。另外，这类病人中有些因病情需要服用镇静剂，镇静剂可抑制肠蠕动，产生肠麻痹，使食物残渣在肠道内停留时间过长，食物残渣中的水分反复吸收，导致便质干燥，大便不通，排便困难。

出现这些情况该怎么办呢？有没有想过这可能和您吃的食物有关？心情不好便秘等情况可能是惰性食物吃得太多，想心情舒畅排便顺畅应该多吃悦性食物。

## ■ 悦性食物

富有悦性力量的食物称之为悦性食物，食用后极易消化，在体内不易堆积尿酸及毒素，消化后在身上产生的能量使身体变得健康轻松和精力充沛，身心变得愉悦、自律、快乐，让心灵处于平和与稳定。

食物种类：悦性食物包括所有谷类，如米、麦、面、玉米、麦包卷、麦包、大麦、燕麦，水果，大多数的蔬菜、牛奶（指酸奶）、乳类制品（指酸奶制品），坚果，大豆制品，如豆腐、豆浆、温和的香料。此类食物含丰富B族维生素、维生素E，这些营养素都有利于维护情绪的稳定。如小米、燕麦等食物中含有丰富的色氨酸，被人体吸收后，能合成神经介质5-羟色胺，有效发挥稳定情绪、安神的作用。而粗粮、坚果等一些食品中含有大量的维生素$B_6$和维生素E，能够帮助脑细胞活跃起来，起到缓解抑郁情绪的作用。香蕉、奶制品等含有丰富的矿物质钙、镁等，有镇静作用，能够舒缓肌肉紧绷与情绪抑郁。在这里特别指出的是，酸奶是稳定情绪的最佳选择，因为酸奶里面含大量的双歧因子，有利于提高免疫力，而且奶经过发酵后，B族维生素会大量增加，能舒缓和稳定情绪。

## ■ 惰性食物

富有惰性力量的食物称之为惰性食物，食用后在身上产生的能量，使人嗜睡、昏沉、不安，身体易生倦怠，生病，身心变得粗鲁，产生慵懒和不可遏止的欲望，缺乏生命力和开创力。

食物种类：惰性食物的品质最差，包括所有的肉类、鱼、洋葱、芥末、蒜、麻醉性饮料、酒、烟，干燥（除了水果以外）、罐装、加工、腐坏（煮熟再保存）、污染或垃圾食物。此外药剂、香烟、甜食、加工发泡饮料及零食如爆米花、洋芋片、咸点心、巧克力冰淇淋、含防腐剂或其他化学成分的食物。一些非法的物质也都属于惰性食物。陈腐的食物、放置过久的食物也会变为惰性食物。所有这些食物都会破坏健康，造成身体不平衡，削弱心智功能。此类物品含有较多的饱和脂肪酸，容易在体内生成大量自由基，从而出现烦躁易怒、倦怠无力、昏昏沉沉等症状。

## 变性食物

变性食物是指富有变性力量的食物称为变性食物，食用后会使人变得好动，若食用过多，会使人变得过分积极、烦躁不安，甚至产生憎恨、嫉妒、沮丧、恨怒、恐惧等情绪而失去镇静平和。

食物种类：包括有咖啡、浓茶、泡菜、海带、白萝卜、酱油、强烈胺肿的调味品、可可、可口可乐、汽水等。

悦性食物、变性食物、惰性食物的分类并非一成不变的，会随着气候、个人身体状况而变，比如气候寒冷的地方，变性食物就会变为悦性食物，惰性食物就会变为变性食物。谨着对自己负责的态度我们要多吃悦性食物，少吃变性食物和惰性食物。

# 人体结构与食物调配

■ 人体大约由63%的水、22%的蛋白质、13%的脂肪和2%的其他物质组成，身体的每一个分子都来自我们所摄入的食物和水。摄入适量的优质食物，有助于获得健康、活力以及抵御疾病的最大潜能。所以大便的性质和食物调配有密切关系。比如食物中含大量蛋白质，而碳水化物不足，肠道菌群即发生改变，肠内发酵菌过少，大便易呈碱性，干燥；比如食物中含较多的碳水化物，肠道发酵菌增多，发酵作用增加，产酸多，大便易呈酸性，次数多而软；再比如进食大量钙化酪蛋白，粪便中含多量不能溶解的钙皂，粪便增多，且易便秘。

# 从食物到排泄的生理过程

便秘是由于机体的消化、吸收、排泄器官不能正常地发挥功能所致。那么我们每天吃进的食物，究竟经过怎样的途径才能排泄出来呢？下面就来介绍一下我们机体的生理功能。我们按照所吃进的食物消化到排泄的顺序进行说明。

## ■ 食物的消化与吸收

吸入营养，排泄废物，进出平衡是机体新陈代谢的一种基本形式。首先，食物经过口，再通过食道入胃。胃液中的胃蛋白酶，可把一些磨碎的蛋白质消化。胃壁也是由蛋白质所构成，但是胃粘膜本身具有保护屏障，可防止它被消化。如果该保护屏障被破坏，就会引起胃炎及胃溃疡。

胃液具有强酸性，能把与食物一起来的细菌杀死。此后食物被送入十二指肠。十二指肠与小肠相连接的部位有胆汁、胰液存在，这些对于食物的消化起重要作用。十二指肠

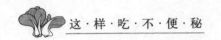

以下是空肠、回肠。在这里，食物被真正消化为可以吸收的物质，大部分营养成分和水被吸收。肠壁上有很多皱褶，可大大增加吸收面积。

## ■ 食物的吸收与排泄

我们每天摄入的食物经过口腔、胃、十二指肠的消化，到达小肠内吸收，剩余的食物残渣被送入大肠。大肠主要吸收水分。食物变成残渣后与剥落的肠粘膜、分泌物及肠内细菌的残骸混合，开始成块，形成了大便。大便中大约有1/3是脱落的粘膜、分泌物、细菌的残骸。

其中，人类的大肠内没有重要的消化活动。大肠的主要功能在于吸收水分，大肠还为消化后的残余物质提供暂时贮存所。大肠中有数百亿个细菌定居于此，并不断地分裂、繁殖、死亡。这些细菌，具有分解食物中的纤维素、蛋白质和脂肪，产生氨基酸和脂肪酸的功能。

食物残渣在大肠内停留的时间较长，一般在十余小时以上，在这一过程中，食物残渣中的一部分水分被大肠黏膜吸收，经过大肠内细菌的发酵和腐败作用，形成了粪便。除食物残渣外，粪便中还包括脱落的肠上皮细胞和大量的细菌。此外，机体代谢后的废物，包括由肝排出的胆色素、衍生物

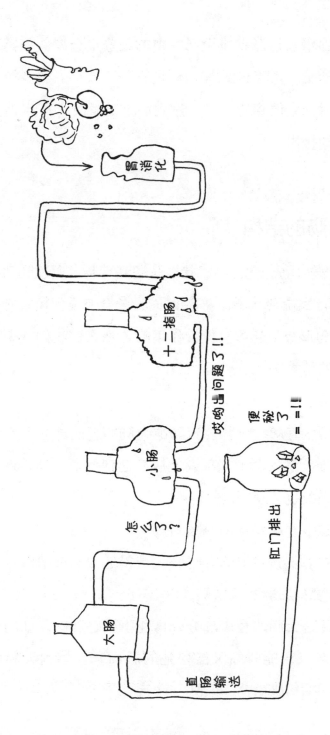

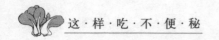
以及由血液通过肠壁排至肠腔中的某些重金属，如钙、镁、汞等的盐类，也随粪便排至体外。

最后，大便到达直肠。达到一定的量时，产生便意，大便从肛门排出。

## 大肠的结构

食物转化成大便，从S状结肠送到直肠，通过肛门排出体外。从S状结肠到直肠，积聚时间太长会变成便秘。看来大肠对便秘的形成是起着关键性作用的，那么，我们就来研究一下大肠的结构：

大肠，一般由三部分组成

结肠、直肠、盲肠。盲肠是大肠的起始部分，盲肠炎是大家都很熟悉的。阑尾部发炎后蔓延到整个盲肠，称为盲肠炎。盲肠炎也是阑尾炎的俗称。

结肠跟盲肠相连，分为四部分

有从右下到右上的升结肠、横行延伸的横结肠、从左上到左下的降结肠和S状结肠。

直肠是大肠的最后部分，再往下就是肛门。肛门处有肛门括约肌（既能收缩又能松弛的肌肉）。接到大脑的指令后，肛门括约肌松弛、排便。

### 大肠中食物的状态

由小肠传送过来的食物基本上处于流体状态，进入大肠以后，水分渐渐被吸收。从升结肠到横结肠，食物由半流体到粥状；从降结肠到S状结肠，就有了一定的形状；到S状结肠就形成了大便。

食物能在肠腔被逐渐传送下去，是由于肠具有如下功能：

首先是蠕动，由一些稳定向前的收缩波所组成，如同蚯蚓的运动。由于蠕动，肠腔中的食物渐渐被向前推移，使之在肠腔内传送。还有一种形式为"逆蠕动"。由于逆蠕动，食物在肠内发生返流，这样可利于其中的水分被充分吸收。肠道的蠕动与消化吸收有关。蠕动过快，可以引起消化吸收不良而导致腹泻，如果蠕动缓慢，那就像传达带发生故障不能将物质及时运送到位一样。粪便在结肠停留时间延长的后果是水分吸收过度，引起大便干结，或者因为肠道动力不足而导致排便困难（慢传输型便秘），老年人甚至可能因为肠动力严重缺乏而导致粪便堵塞肠道而引发肠梗阻，从而造成一系列严重后果，有时需要手术治疗。少数病人即使手术也不能挽救生命。

其次为分节运动。这是肠腔的一部分以环行肌为主的节律收缩。肠管蠕动和分节运动协调地有机结合，使食物残渣不断地被推送到S状结肠和直肠。

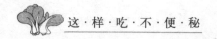

## ■ 便意与排便的关系

便意是粪便由结肠排入直肠壶腹部刺激压力感受器而产生的一种本能感觉，即排便的感觉或排便的需求，提醒您赶紧找厕所，只要环境允许，您可即刻完成排便行为。但是，有时环境不允许（如正在高速公路上行驶、正在上课、附近没有厕所），人们会通过抑制排便感觉（便意）取消解便。但是便意却是稍纵即逝的，是人体及其他动物的一种本能感觉，您可以不在乎胃肠道昼夜不停地劳作，却不要怠慢便意，要不然，您可能会遇上麻烦。因为想排便的感觉并不是您希望产生就能产生的，如果您不理它，它就不理您，到时候想要那种感觉就不容易了。如果经常重复上述过程，就会引起直肠反应降低，久而久之便可导致便秘。那便意又是从何而来的呢？

要想弄清楚便意是怎么产生的，还得从粪便进入直肠的那一刻说起。

直肠是大肠的延续部分，长10～15厘米，下端与肛管（通常称其肛门）相接，直肠壁内存有压力感受器，能感受刺激并传递信号。多数情况下，直肠处于排空状态，以便随时接纳来自结肠的粪便与气体。当结肠集团性蠕动产生大的节律性推进性蠕动，将存在于降结肠、乙状结肠内的粪便排至直肠壶腹部时，原来处于空虚闭合状态的直肠因粪便进入容量增大，导致直肠壶腹部腔内压增高。当压力上升到1.37千帕（140毫米水柱），刺激了直肠壁内的压力感受器，压力感受器马上产生神经冲动进行通风报信，带着来自直肠的信息沿盆腔神经和腹下神经报告脊髓腰髓段的初级排便中枢，同时报告大脑皮质。当大脑皮质获知信息，就发出了解大便的指令，便意即产生了。

排便是有反射过程的。通常情况下，直肠处于排空状态，里面没有粪便。当结肠的蠕动将粪便推入直肠时，直肠被充盈而受到牵拉，刺激了直肠壁内的感受器，神经冲动沿盆腔神经和腹下神经传至脊髓腰骶段的初级排便中枢（骶2～4），脊髓神经反射弧沿内脏传入神经纤维（骶副交感神经）经过后根至脊髓圆锥孔内，在此通过脊髓视丘前束和侧束向上达到大脑皮质，产生便意。这时，大脑皮质、丘脑排便反射高级中枢再通过脊髓传出神经纤维及盆腔神经传出排便信号，引起降结肠、乙状结肠和直肠收缩，肛门内括约肌、外括约肌舒张，腹肌、膈肌、肛提肌收缩，腹内压增高。同时，人们还可以通过闭口、鼻屏气增加腹压及肠腔内压，以帮助大便排出体外。由此可见，排便真是一件不简单的事。有时候环境条件不容许排便，觉得便意来得不是时候，这时候则由腹下神经和阴部神经

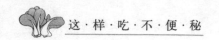

发出冲动，随意收缩肛门内、外括约肌，有意识地制止排便。这样持续几分钟后，粪便就会返回乙状结肠或降结肠，排便反射自行消失，一直要到下一次结肠的集团推进运动再次出现，重新启动排便反射。

如上所述的"胃、大肠反射"，"直肠、肛门反射"，"直肠、结肠反射"叠加在一起，协调进行，大便即被顺利地排出体外。

## ■ 好姿势也决定您"出口"顺畅

对于长期便秘的人来说，最大的痛苦可能就是面对卫生间时的那种恐惧，有的用尽办法仍然不能解决难言之隐，多喝水、多吃粗纤维食物都不管用，甚至依赖开塞露。但如果您能改变一下排便时的姿势，也许排便时痛苦就会减轻一些。有的人可能对排便姿势不屑一顾，嗤之以鼻。殊不知姿势与便秘有着非常密切的关系。长期卧床不起的病人、手术病人由于特殊情况所导致的排便姿势不恰当，不容易产生便意，或者排便困难，天长日久就可能引起便秘的发生。那么怎样的排便姿势是正确的呢？何种姿势最容易产生便意和最有利于大便的排出呢？排便姿势以"蹲位"较佳，因为蹲位时，肛管直肠的角度增大，同时可以加大腹腔内的压力，促进大便的排出。但是现在几乎没有人会给自家卫生间装上一个不上档次的蹲便器，怎么办？下面给出几个很好的变通办法：

双手托下巴法

大便时（无论坐姿或蹲姿），双手捧下巴向上托，不久肛门就有要大便的反应，此时用力，大便随即排出。

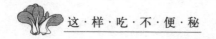

**大腿互压法**

在坐桶上排便，将左大腿压在右大腿上（隔一会儿交换），排便省力又顺利。这样将双腿相互交换着放，治疗便秘效果好。

**咳嗽法**

排便时，一边用力一边尽力咳嗽，连咳数声，稍停，大便易于排出。

**捶背法**

排便前，单手握拳用力捶背数下，坐（蹲）下大便时，再轻轻捶背10余下，大便就容易排出了。如能经常坚持捶背和多饮水，治疗效果更好。

**抖上身法**

在坐桶上抖动上身，肚子一松一缩地动，用不了多久，大便就会顺利排下。

另外，早晚坚持各做一次扭腰运动，反复转动，每次做5～10分钟，即可促使肠道蠕动加快，起到促进排便的作用。相信一段时间后，您的便秘症状就会有所改善。

# 食物调配的规律

食物是最自然最环保、最没有副作用的通便药。正当的选择、适当合理的调配食物，肯定能使我们身心健康远离便秘，但是食物的调配是有禁忌和原则的，只有吃对了，您才能"出口"通畅。

## ■ 八大原则

饮食疗法是治疗各类便秘的基础方法，适宜于男女老少各类便秘病人，尤其对结肠慢传输型便秘病人效果较好。

饮食治疗原则如下：

1.每天至少食用5种以上的水果、蔬菜。

2.每餐中碱类食品的比例要占到2/3，例如蔬菜、水果以及芽菜类。

3.宜多吃含纤维素丰富的食品，如各种新鲜蔬菜、水果、笋类等，以增加食物残渣。

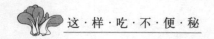

4.每天确保饮用1.2升水,如果从事体力劳动则饮水量还要更多。晨起空腹1杯淡盐水,对防治便秘会非常有效。

5.在烹调菜肴时可适当多放一些食油,如豆油、菜油、麻油、花生油等。

6.适当进食一些含B族维生素的食物,如豆类、粗粮、甘薯、马铃薯等,以促进肠道的蠕动。

7.不用或少用刺激性食物或调味品如辣椒、咖喱粉、浓茶等。

8.必要时采用药物通便措施,但注意应选择作用相对缓和的药物如通便灵、麻仁润肠丸、麻仁滋脾丸、新清宁片,少用强泻剂如番泻叶、酚酞等,同时用量不要太大,防止出现腹泻。长期服用泻药,可使肠道肌肉松弛变形,反而会加重便秘。

从理论上来说,多样化的饮食,全部从食物中得到均衡、充足的营养,得到健康的身体,这是最好的。但是,也还存在一定的问题。什么问题?比如说食物结构要有比例。举一个例子,我们强调食物中的肉、蛋、奶和谷物需要一定的比例。要懂得这个比例才行,不然做不到均衡。

# 食物的黄金组合

■ 有进就要有出，进来了出不去或是进来了全出去都是身体亮起健康红灯的信号。身体阻塞不容小视，清堵，刻不容缓。人体的畅通工程可以描述为：1次固定的清晨排便，2杯1000毫升水的摄入以及有规律的3餐。这个工程其实不难构建，从饮食方面着手调整，建立起合理的饮食结构，马桶在您眼中很快也会变得可爱起来……

# 坚果

## ■ 从营养认识坚果

坚果是植物的精华部分，一般都营养丰富，含蛋白质、油脂、矿物质、维生素较高，对人体生长发育，增强体质，预防疾病有极好的功效。虽然高热量高脂肪是坚果的特性，但是坚果含有的油脂虽多，却多以不饱和脂肪酸为主，它富含亚油酸、亚麻酸。亚油酸、亚麻酸可是DHA和AA的前体，有了它们，人体就可以合成 DHA和AA。

众所周知，DHA又称脑黄金，它是具有重要生理功能的长链多元不饱和脂肪酸，大量存在于视网膜及大脑皮质细胞中，是神经及视网膜正常发育所需。

AA属Omega6族长链多元不饱和脂肪酸，广泛存在于体内细胞，是细胞膜的重要组成物质。

大脑约有1/4的固体物质是由磷脂质形成。大脑皮质区

的磷脂质主要由DHA及AA组成。脂肪在发挥脑的复杂、精巧功能方面具有重要作用。给脑提供优良丰富的脂肪，可促进脑细胞发育和神经纤维髓鞘的形成，并保证它们的良好功能。为此，常吃坚果对我们的大脑发育都很有好处。

坚果除了其内含的亚油酸、亚麻酸能合成的DHA和AA，还对视网膜的完善有着促进作用外，其维生素及钙、锌等矿物质对视力的正常发育也有直接的影响。另外，最近科学家还发现，适当的咀嚼也有利于视力的提高。因为眼睛的脉络膜对眼球晶体具有调节作用，而脉络膜的调节功能有赖于面部的肌力，面部肌力的增强则得益于咀嚼强度。

坚果，它不仅可以提供好的胆固醇，降低血液中的三酸甘油脂，还是预防心脏病的最佳配方，不论是花生或杏仁果

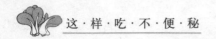

等，都是好的选择。

但是吃坚果要注意，成人每天适宜吃30克左右，多吃使人发胖；如果不小心多吃了坚果，就要减小一日三餐用油量和饮食量，不要在吃饱喝足后大吃；1～3岁的幼儿每天可以吃20克左右的坚果。坚果类食物油性大，孩子消化功能弱，如果食用过多的坚果，就会"败胃"，引起消化不良，甚至出现"脂肪泻"。

## ■ 补硒是关键 坚果不可缺

硒是机体免疫系统正常运转的有力保障。慢性胃炎、消化道溃疡等疾病归根到底是肠胃内细菌、自由基等病毒在作祟。硒不但能够消除胃肠内的过氧化物和自由基，直接抑制肠道病菌群，还能调节胃肠道内的平衡，修复和保护胃黏膜，防止其癌变。定量补硒还能使便秘患者轻轻松松地解除痛苦。

要特别注意一点：以豆油为主要食用油的人们要特别注意补硒。因为豆油是氧化负荷剂。它能抑制含硒的甘胱谷肽过氧化酶和脱单碘酶活性。一方面使细胞膜抗过氧化系统的防御机制下降，并致能量代谢过程紊乱；另一方面长期食用豆油，会造成血清硒和红细胞硒含量下降，是硒吸收利用受阻的结果。在体内硒是一种水溶性抗氧化剂，能与蛋白质结合，保护体内细胞膜的抗过氧化损伤机制和促进能量代谢的氧化磷酸化过程。因而长期食用豆油阻碍硒的吸收及降低含硒酶的活力后，机体便可能出现潜在的缺硒状态。

面对这种情况，我们可以禁忌单一食用豆油（或鱼油），搭配多种食用油调剂；在饮食中应增加含维生素E较多的食物，例如牛奶、蛋黄及肉类等，因为维生素E为抗过氧化剂，并能促进硒的吸收利用。

所以对于便秘者来说，通过食用坚果类食品保证饮食中足量的硒摄入，多食干果的种仁。这些种仁含有大量的油脂，多具有滑润肠道、通便的作用，比如核桃仁、松子仁、各种瓜子仁、杏仁、桃仁等均可食用以通便。我们可以每天食用一小袋15克左右的多种类混合坚果，而且最好是无盐的。

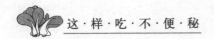

# 蔬菜

## ■ 从营养认识蔬菜

　　蔬菜中含有大量水分，通常为70%～90%，此外便是数量很少的蛋白质、脂肪、糖类、维生素、无机盐及纤维素。判断蔬菜营养价值的高低，主要是看其所含维生素B、C、胡萝卜素量的多少。根据科学分析，颜色越深的蔬菜，营养价值高，所含维生素B、C与胡萝卜素越多；颜色浅的营养价值低，其排列顺序是"绿色的蔬菜——黄色、红色蔬菜——无色蔬菜"。绿色蔬菜被营养学家列为甲类蔬菜，主要有菠菜、油菜、卷心菜、香菜、小白菜、空心菜、雪里蕻等。这类蔬菜富含维生素$B_1$、$B_2$、C，胡萝卜素及多种无机盐等，其营养价值较高。

　　蔬菜是人体矿物质的来源。蔬菜中含有的主要矿物质是钙、铁、磷等。如菠菜、芹菜、卷心菜、白菜、胡萝卜等含有丰富的铁盐；洋葱、丝瓜、茄子等到含有较多的磷；绿叶蔬菜含有丰富的钙；海带、紫菜还含有丰富的碘。在矿物质和膳食纤维的含量方面，蔬菜也比水果有优势。

它还有中和胃酸的作用。蔬菜属于碱性食物，而一般高蛋白食品属酸性食品，在人体胃中，由于吃肉、米、麦等到食物消化后往往会发生酸性反应，这就需要蔬菜或水果来中和，多吃蔬菜有利于维持体内酸碱平衡。

其他作用：蔬菜中含有纤维素、半纤维素、本质素和果胶等不为人体消化酶水解的部分，可阻止或减少胆固醇的吸收，所以多吃新鲜蔬菜有利于防治动脉粥样硬化症，加上它所含有的纤维素对便秘同样有着很好的疗效。

蔬菜还含有各种芳香油和有机酸，如生姜、大蒜、洋葱、大葱、辣椒、茴香、香菜等都含有各种挥发性芳香物质，使蔬菜又增加了许多特殊的风味。水果和蔬菜最重要的

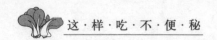

营养作用是为身体提供维生素C、胡萝卜素、矿物质和膳食
纤维。

而且跟水果相比：论胡萝卜素，水果中的含量远远赶不
上菠菜、油菜、莴笋叶、香菜等深绿色叶菜和胡萝卜、南瓜
等红黄色蔬菜。若论维生素C，在苹果、梨、桃、香蕉等水
果中的含量仅是每百克零点几毫克至几毫克，以维生素C含
量高而著称的柑橘类水果的维生素C含量是每百克30～40毫
克；而辣椒、青椒、菜花、苦瓜等蔬菜中的维生素C含量可
达近百毫克。

## ■ 从分类认识蔬菜

蔬菜大致可分为三大类：叶菜（如白菜、苋菜、菜
心），瓜茄（如青椒、黄瓜、西红柿），根茎类（如土豆、
胡萝卜）。

蔬菜可提供的维生素主要是维生素以叶酸、胡萝卜素以
及B族维生素等。其中维生素C、胡萝卜素、叶酸在黄、红、
绿等深色叶菜中含量较高。绿叶蔬菜的矿物质含量很丰富；
但某些蔬菜（苋菜、菠菜、通心菜等）中的草酸会影响人体
吸收，故烹调这些蔬菜时，应先用开水漂烫，以去除草酸。
专家建议，成人每日宜摄入500克蔬菜，其中2/3为叶菜，

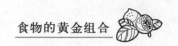

1/3为瓜茄和根茎类。

### 叶苔类

是无机盐和维生素的重要来源。在这类蔬菜中尤以绿色叶菜为蔬菜类食物的代表，如油菜、小白菜、雪里蕻、荠菜、韭菜等含有较多的胡萝卜素、维生素C，并含有一定量的维生素$B_2$。

绿叶菜含有较多的钙、磷、钾、镁及微量元素铁、铜、锰等，且钙、磷、铁的吸收和利用较好，而成为钙和铁的一个重要来源。

### 根茎类

根茎类食物是介于粮食与蔬菜之间的食物。如马铃薯、甜薯、芋头等，含淀粉较多，可供给较多的热量。这类菜每100克可供330～420千焦耳（79～100千卡），一般蔬菜每100克供热量为40～170千焦耳（10～41千卡）。其蛋白质、无机盐和维生素的含量则相对地较低。但带有红黄颜色的胡萝卜、红薯等是胡萝卜素的良好来源。

### 瓜类及茄果类

这一类蔬菜的营养价值比较低，大部分是夏秋季节上市

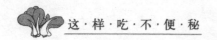

的，在绿叶菜较少的季节，是提供无机盐与维生素的来源。

**菌类**

食用菌类可分野生菌与人工栽培菌两类。野生的约有200多种，味鲜美，如口蘑、鸡油菌等。栽培的食用蕈类主要有洋蘑菇、香菇、银耳、黑木耳等。食用蕈类的营养素含量并不突出，但风味佳美，是烹调菜肴的佳品，同时有些种类还有一定的保健作用和药用价值。

蔬菜为家庭日常饮食中必不可少的食物，由于蔬菜贮藏不当或烹调方法不当，均可发生食后中毒现象，何况某些蔬菜本身就含有一定的毒素，因此，吃蔬菜应注意以下几点：

蔬菜不宜贮藏过久。有些蔬菜，如菠菜、莴苣、萝卜等含有硝酸盐物质，贮藏过久，会发生腐烂变质。某些细菌，如大肠杆菌、棱形芽孢杆菌等，将硝酸盐还原成亚硝酸盐，使血液携带的低铁血红蛋白氧化成不能携带氧的高铁血红蛋白，从而引起头痛、腹痛、腹泻、呕吐等症状。

未成熟的西红柿不宜食用。未成熟的西红柿中含一种番茄碱的有毒成分。成熟的西红柿含量甚少，未成熟的含量较高，人食后会发生中毒，表现为头昏、恶心、呕吐等。

野蘑菇不宜食用。野蘑菇如白帽蕈、马鞍蕈、瓢蕈等，外形奇特，颜色鲜艳，内含多种毒素，误食后可发生中枢神经中毒，发生精神错乱；有的则呕吐、腹泻、肝功能衰竭、急性溶血性贫血，重者危及生命。

鲜黄花菜不宜食用。鲜黄花菜中含有一种无毒的秋水仙碱，被人体肠道吸收后，转变为有毒的二氧秋水仙碱，可使人发生恶心、呕吐、腹痛等，重者便血、尿血。干黄花菜是由鲜黄花菜经蒸晒干燥制成，其内含有秋水仙碱已被破坏，故可放心食用。鲜黄花菜食后中毒，可用绿豆、甘草煮水解其毒。

带有苦味瓜籽的苦瓜不宜食用。一般苦瓜中都含有苦瓜甙，通常无明显毒性。而瓜籽有苦味的苦瓜，其含很多的苦瓜甙，人食后可引起头晕、腹痛等中毒症状。

未煮熟的秋扁豆不宜食用。扁豆中含有两种毒素，一为扁豆中的凝集素；另一种为豆类中的溶血素。秋季成熟的扁豆含量极高。如果未充分煮熟，食用后往往会发生头痛、头晕、恶心、呕吐、腹泻等症状。故煮扁豆，应彻底加热煮熟煮烂。

腌制不透的酸菜不宜食用。有的家庭在腌制酸菜时，往往用盐不足，使得一部分细菌没有得到抑制，使菜中的硝酸盐还原成有害的亚硝酸盐，这种化学变化大约在腌制后一星期左右达到最高峰。如果此时食用，非常不安全，可以发生急性亚硝酸盐中毒。

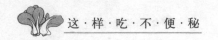

有些蔬菜，如菠菜、苋菜、蕹菜、竹笋、洋葱、茭白，虽含钙丰富，但含草酸也较高，易形成草酸钙沉淀，影响钙的吸收。所以对于婴幼儿、孕妇、骨折的病人，应尽量减少食用含草酸过多的蔬菜。有实验证明过多偏食菠菜影响锌的吸收。

我们选择蔬菜的原则，以根、茎、花、果四大类为主。这四大类的蔬菜农药比较少，且含有高度的矿物质，能量也特别的高。至于叶菜类和芽菜类也是很好的食物，但它们不适合病人在康复期食用。另外，女性不可以生食白萝卜，要连皮、连叶一起煮来吃。

## ■ 适宜便秘者吃的蔬菜

近年来，菜篮子里的蔬菜品种越来越丰富了，便秘病人选择哪些蔬菜有利于通便呢？医学专家提出，含纤维素较多蔬菜应作为首选，例如茭白、韭菜、菠菜、豆芽、竹笋、芹菜、丝瓜、茼蒿菜、青菜、藕、鸡毛菜等。在进食这些蔬菜的同时，多喝水，会使食物中的大量纤维素膨胀，肠内容物增加，促进肠蠕动，以利于排便。一般要求进食这些蔬菜的总量在500克左右。玉米既可以作为粮食，也可以作蔬菜，由于含纤维素较多，通便的作用也不错。

# 水果

## ■ 水果的营养成分

　　水果的营养十分丰富，几乎所有酸性的水果中都含有大量的维生素A、B、C。常见的橘子、苹果、香蕉、梨、桃、菠萝、梅、杏、李、葡萄、柠檬、枣、柿等水果中钙、磷、铁、碘等矿物质与多种氨基酸成分也不少。人体如缺少这些维生素与矿物质，特别是正在成长中的孩子，就会对健康带来一定的影响。　而且水果和蔬菜都可以有效地降低患心脏病和某些癌症的概率，最优质的特点就是不会让体重增加。

　　蔬菜在清洗、切碎、加热过程中，维生素C会损失很多，而水果就没有这些损失。人体若是缺少维生素C，对疾病的抵抗力就会降低，血管的通透性、脆性会增加，还容易得坏血症与骨质疏松，使骨变得松脆，易出现骨折。维生素C缺乏还会使伤口难以愈合。所以补充水果是最明智的选择。此

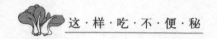

外，水果的药用价值也很高，如西瓜能清肺、利尿，梨可治咳嗽，红枣能补血，香蕉可通便等。

　　研究表明，小时候吃水果多的人，长大后患某些癌症的概率比较低。专家认为，这项研究显示，儿童时期的水果摄入量对成年后防止患上癌症能够起到长期的作用。水果还富含一种防止老化的物质——抗氧化剂，利用得当，可以预防心血管疾病、糖尿病和癌症等疾病，促进健康，延长寿命。水果除了含有我们已知的营养素外，还富含大量天然植物化合物。这些物质通过提高抗氧化力、调节解毒酶活性、刺激免疫功能、改善激素代谢、抗菌抗病毒等作用，发挥延缓衰老的作用。

水果虽然美味可口，但在食用时还是应该注意以下几点：

一忌水果连皮食用

因为水果的果皮上有着类黄酮的化学物质，当人体摄入后经细菌分解会转化为二羟甲酸及阿魏酸。它具有很强的抑制甲状腺功能的作用，会使人体出现甲状腺肿症状。因此吃水果时应先削去果皮。

二忌空腹食用水果

一般水果都会刺激消化液分泌，促进大肠蠕动，故宜在饭后食用水果。

三忌过多食用水果

水果营养丰富，但也不是吃得越多越好，有的水果吃多了会使体内酸碱失去平衡，以致中毒。如李子、杏子、梅子、红果等含有金鸡钠酸、安息香酸和草酸，这些酸在人体内难被完全氧化掉，这就造成体内酸碱失去平衡以致中毒，特别是儿童，更不宜多吃。

四忌食用不当引起水果病

比如橘子，橘子中有着大量的叶红素，吃多了易引起皮肤上的黄色素沉着，医学上称为"叶红素皮肤病"。它会破坏肌体皮肤的屏障功能。白果会引起中毒，必须熟吃；菠萝会使有的人产生过敏反应；吃柿子不当会发生胃结石等，须引以注意。

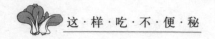

五要"四不吃"

1.不吃不成熟的水果，因这样的水果含鞣质多，味涩且可口性差。

2.不要摘不认识的野果吃，因为有些野果对人体有害。

3.不要吃腐败变质的水果，因为这样的水果中有大量细菌繁殖，食后容易引起疾病。

4.不要随便剥食果仁，因有些果仁中含有毒物质（如苦杏核仁、枇杷核仁等），食后会引起中毒。

## ■ 水果是排便的流水

对便秘者来说，水果中通便作用特别明显的要数梨、香蕉、西瓜了。当然，像葡萄、杏子、西红柿等通便作用也不错。梨不但水分多，纤维素也多，所以自古以来人们已经知道了它的通便作用。香蕉以前只有南方人才能经常吃到，而现在无论在哪个地方都能吃到香蕉，因为香蕉纤维素多，质地又细腻，润肠通便的作用很好，老年人肠燥便秘者尤其适宜；西瓜本是夏令瓜果，由于农业科技及交通事业的发展，现在冬天都能吃到西瓜了，西瓜有清暑生津的作用，有"清暑白虎汤"的美称，温热病邪热伤津，热结便秘，西瓜好比一剂良药，清热生津通便，作用不小。便秘者，水果您不妨常吃。

# 海藻类

## ■ 海洋蔬菜的营养

海藻是地球上最古老的生物，内含钙、铁、钾、钠、碘、镁、锌、铜等多种矿物质和微量元素，以及胡萝卜素、核黄素、硫胺素、氨基酸、岩藻糖、葡萄糖、甘露糖等丰富的营养成分，是名副其实的天然健康食品。

日常食用的海藻有紫菜、海带、裙带菜、发菜等，都具有高蛋白、低脂肪、富含多种微量元素和维生素的优点。有人测算过，若每天食用100克海藻，除可提供一定量的蛋白质外，还可以提供一个成人每天所需的维生素C的67%。另外，海藻中的钙可有效地调节血液的酸碱度，富含的碘也是一般蔬菜所没有的。

海藻除了高营养价值之外，更重要的是它具有一定的保健功能。海藻的功能大致有：预防动脉硬化、防治甲状腺肿

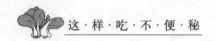

大、降血压、降血脂、抗凝血、预防便秘、抗癌防癌、维持体内酸碱平衡等。

### 降血压、降血脂及抗凝血作用

从马尾藻、海带等褐藻中提取的褐藻淀粉、褐藻酸、褐藻氨酸、碘等生物活性物质对心血管防治有很大作用。

### 防止甲状腺肿大

海藻中的海带含碘量在海藻中是最高的。碘是人体必需的元素之一，缺碘会患甲状腺肿大，多食海带能预防此病。

### 抗肿瘤作用

根据清朝《疡医大全》以海藻、昆布、海带等制成的制剂，现今仍用于医治甲状腺癌。人们常食用的紫菜，它的蛋白质含有人体必需的所有氨基酸，而且比例较合理，特别是含硫氨基酸的蛋氨酸含量高，大大超过一般蔬菜中的含量，甚至超过牛奶和鸡蛋中的含量。尤其不可忽视的是，紫菜中含铁较多，铁是构成血红蛋白的主要成分，人体如果缺铁，易患缺铁性贫血。女性由于生理原因，往往造成缺铁性贫血，多食海藻能有效补铁。专家认为缺碘可引起甲状腺肿大，还会诱发甲状腺癌、乳腺癌、卵巢癌、子宫颈癌、子宫肌瘤等。因此，建议妇女要适时补碘，多吃些海藻食品。

### 清理肠道功能

海藻富含海藻纤维，虽不能被吸收，但它能促进肠道蠕动，增加消化腺分泌，使食物在肠道中运行加快，从而减少有害物质的滞留和吸收，减少便秘和肠癌的发生。

### 调节人体内酸碱平衡

海藻含矿物质多为钙、铁、钠、镁、磷、碘等。现代科学认为，常食海藻食品可有效地调节血液酸碱度，避免体内碱性元素（钙、锌）因酸性中和而被过多消耗。

## ■ 海藻与排便

海藻类对付便秘的有效成分就是食物纤维。与根菜类中含有较多难溶于水的纤维相对应，海藻类的纤维是水溶性的。这两种纤维都不能在肠内消化。海藻类的纤维溶于水后，膨胀的同时黏性也增强，有使大便软化的作用。

海藻的黏滑性是因为含有多糖成分。这种易溶于水的细小纤维扩散到水中后，就形成黏液。

海带、裙带菜、羊栖菜等褐色海藻中所含的纤维被称为

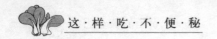

褐藻酸，与水果中的果胶以及魔芋中的葡甘露聚糖很相似。

除此之外，石花菜和发菜中所含的琼脂也是食物纤维。近年来，因抗癌作用而广受瞩目的藻聚糖和角叉菜胶，也和它们是同类。

# 谷类

## ■ 谷类食物的营养和使用宜忌

谷类食物俗称粮食，是我国人民传统膳食中的主食，品种繁多。包括大米、麦（面）、杂粮（小米）、薯类，主要含有碳水化合物、蛋白质、膳食纤维及B族维生素。碳水化合物是人体的主要供能物质，对婴幼儿来说，提供的能量要占总热能的50%左右，而谷类食物是碳水化合物的最主要来源，所以谷类食物应该作为人体能量的主要来源。

与蛋白质相比，1克碳水化合物和1克蛋白质产生的热能是相等的，都是4000卡，而碳水化合物在体内代谢时对肝脏、肾脏的负担比蛋白质小得多，产生的代谢产物也要比蛋白质少得多。

从这个角度讲，作为人体能量的来源，碳水化合物比蛋白质更理想。谷类食物除了提供热能外，还供给一定的蛋白

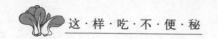
质，其蛋白质含量约7%~10%。由于谷类食物缺少必需氨基酸赖氨酸，往往需要与富含赖氨酸的豆类或荤菜一起食用，这样可以提高其蛋白质的营养价值。

谷类食物除了提供热能、蛋白质外，还提供大量的B族维生素，是维生素$B_1$的主要来源。维生素$B_1$是小儿生长发育必需的营养素，如缺乏会导致神经及心血管系统损害，出现一系列症状，严重者可致死亡。维生素$B_1$主要存在于谷类的胚芽和外皮中，过度的碾磨和不合理的烹煮，可使之大量丢失。我们在食用谷类食物时，一定要减少维生素$B_1$的损失。具体要注意以下几个方面：

1.粗细粮搭配食用。

在谷类碾磨加工成精米、精白面时，维生素$B_1$会随着外皮白白丢失。虽然精米、面吃起来细腻可口，但长期吃会影响健康，所以要粗粮细粮搭配着吃。

2.不要过度淘米。

淘米的目的是为了去除米粒中的杂质，有些人喜欢反复搓洗，但搓洗不仅除不掉米粒中的杂质，还会使米粒外层的营养素丢失更多。随着淘米次数的增多、浸泡时间的延长和水温的增高，各种营养素的损失也随之增加，所以淘米时最好是用手把米粒中的杂质拣去，不要长时间浸泡，不要用热水淘，不要反复搓洗，不要淘米次数过多。

3.尽量不要吃捞饭。

做米饭时应采用蒸、煮的方法，但有些人喜欢做捞饭，即将大米煮到半熟，然后捞出再蒸，将剩下的米汤扔掉，这样会使得溶于米汤中的B族维生素大量损失，可达40%以上。采用蒸、烤、烙等方法制作面食时，各种营养素损失较少，煮面条时，部分营养素溶于汤中，若面条与汤同时食用，可减少营养素的丢失。

4.烹煮时不要加碱。

维生素$B_1$在碱性环境中极易被破坏，在煮稀饭或发面时加碱，都可使维生素$B_1$被大量破坏，所以发面时最好用酵母而不要用小苏打。

## ■ 主食讲究"三化"

在日常饮食上要注意对谷类食物的摄入，并做到主食摄取的"三化"，即主食的简单化、定量化、杂粮化，才有利于人体健康。

一是简单化。

所谓主食，主要是指粮食，包括米面、杂粮、豆类、薯类等。然而，现在人们的心目中主食的范围扩大了，烧卖、油条、春卷、奶黄包等含有淀粉的食物，都被当成主食对待

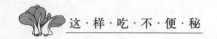

了。事实上，这类食物的脂肪、热量等含量较高，多吃对健康无益，而且往往会导致体重增加。节日饮食中，菜肴已经非常丰盛，蛋白质不会缺乏，质量也不差，此时最需要的是以淀粉为主的米面食品，如米饭、面条等，而非各种制作精细、"营养丰富"的点心。也就是说，主食应尽量简单化。另外，人们还常把包装精美、味道各异的零食也当成主食，这无疑是本末倒置的做法。一般地说，在餐前2～3小时内不能随意吃零食，以免影响正常进餐。

二是定量化。

不管是外出就餐还是在家吃饭，菜肴尤其是荤菜的种类都较多，每样吃几口就饱了，往往再也吃不下主食。主食摄入不足，副食特别是荤菜吃得太多，脂肪和胆固醇摄入量也相应增多，很可能会引起肥胖及其并发症。正确的做法是，避免无限制地吃菜肴，以保证主食的进食量，主食应"定量"，健康成人每天至少在300克以上。很多人习惯用蔬菜或水果代替主食，这也是不科学的。水果和蔬菜主要是提供矿物质、维生素、膳食纤维等，其糖类含量并不高，过多进食水果和蔬菜，可能会影响到微量元素和维生素的吸收和利用。

三是杂粮化。

现在，人们吃的主食越来越精细，基本上都是精白米、精白面等。所以，有人提出了"讲营养吃粗粮"的口号，这是符合营养学要求的。稻米在加工过程中，米糠全部被丢弃，反复碾轧后，只剩下淀粉及少量蛋白质。可是，米糠包括果皮、种皮、糊粉层、米胚芽等，其中包含了稻米64%的营养素，是稻谷精华之所在。米面是人们获得维生素$B_1$、矿物质和膳食纤维最方便、最重要的来源，如果因精加工而损失殆尽，则需通过其他食物来补偿。燕麦、大麦、荞麦、粟米、玉米、高粱米等杂粮，都含有大米、白面中所缺乏的营养素，可起到有益的补充作用。

(O_O) 早餐要吃好！！

# 多样化饮食是便秘门的金钥匙

■ 有时候我们把有些问题归罪于某一种食物，当然某一种食物有本身的营养和特点，我们很难说这个食物的好和坏，因为每一种食物都有各自营养的特点。其实没有不好的食物，只有不好的饮食行为！

# 什么都吃一点——每天30个品种最理想

"每天要吃30种食物？"您别惊讶！据研究即使您缺乏营养知识，但是只要保证一天吃够30种食物就可以了！听起来是有点吓人，其实也不难做到。举个例子，一盘水煮肉片，原料有肉、豆芽，可能放点葱花、蒜再加上盐、花椒、辣椒，瞧！这一盘菜就7种了。

调料也算食物的种类！那就简单多了是吧？只要把那些我们通常小看但营养丰富的菌类、薯类、豆类、杂粮都来上那么几口，营养均衡并不是件困难的事情。

## ■ 合理饮食，均衡需求

首先，食物是形成大便的物质基础，有进才能有出，一定量的食物摄入是保证大便产生的前提。其二，饮食的质量和构成与大便同样密切相关。在日常生活中，我们常有这样的经历，蔬菜瓜果和粗粮吃得多时，大便就比较多，排便也

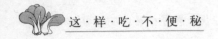
容易，如果吃了大量的煎炸食品，就会感觉大便干结，排便困难。因此，主食不要太精细，应适当增加一些粗粮和杂粮，粗粮和杂粮消化后残渣多，可以增加对肠壁的刺激，促进肠蠕动，有利于大便的运行。副食应该注意选择含纤维素多的蔬菜和水果，如青菜、韭菜、芹菜、蒜苗、莴笋、枣子、葡萄、菠菜、橘子、香蕉等。纤维素不易被消化吸收，残渣量多，可以增加粪便容积，提高肠腔压力，促进肠蠕

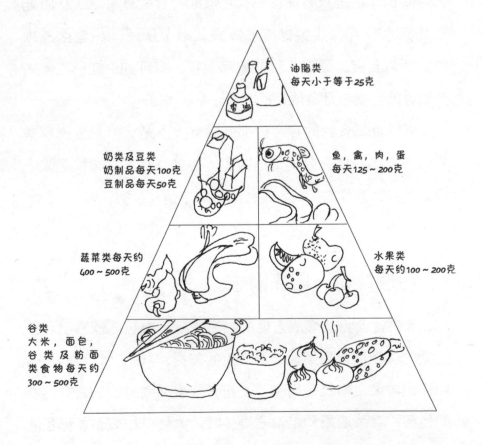

动。所以，食物中含有一定量的膳食纤维是大便形成和通畅的重要保证。其三，每天饮用足够的水对于增加大便的体积很有好处。另外，在润滑肠道和预防大便干燥上，水分同样必不可少。一般起床后或早饭前饮用一杯水具有轻度通便作用。另外，适当的进食含脂肪较多的食品，如核桃仁、花生米、芝麻、菜子油、花生油等也有一定的润肠通便作用。

合理饮食可以刺激胃肠道分泌大量消化液，使肠道润滑，蠕动增强，大便畅通无阻。均衡营养要素才能保证机体的营养需要，保证肠道功能的正常运行。同时还应注意忌食刺激性食物及饮用烈酒、浓茶、咖啡、辣椒、咖喱等，这类食品或饮品均可不同程度地导致或加重便秘。

## ■ 只吃主食的人们要注意

研究发现，只爱吃主食的人体内细菌数量很多。虽然好细菌数量比较多，但是坏细菌也不断地扩张势力范围。而且只爱吃主食的人持久力不足、容易喝醉、维他命也不足。因为吃主食的时候狼吞虎咽，没有运动到下巴，脸型一般比较圆。整个体型丰满肉多或者下半身肥胖，头发和肌肤看起来很粗糙，营养只摄取碳水化合物比较单一，维他命不足容易引发神经痛、糖尿病，排便的状况也不是很

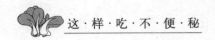

好，是泥状的便便。

主食之所以被称作主食，就说明它在我们一天的饮食中是绝对的主角。选择合适的主食，对肠道是非常重要的，尤其是排便问题。但是我们现在的主食和我们爷爷辈的主食相比发生了不小的变化。很多重要的营养物质被人为地破环掉了。下面就谈谈如何选用合适的主食。

我们现在的主食基本上是白米、精米、精面。与我们爷爷一辈所吃的主食相比，很多营养物质被碾磨掉了。稻米分为：糙米、胚芽米、白米、精米等。仅将水稻的外皮（稻壳）去掉的是"糙米"；将糙米表层的糠层去掉、磨白的叫做"白米"；将白米的"胚芽"去掉那就是"精米"了（有的精米度不高的，没有去掉胚芽）。您去超市看看一粒大米的样子，在一端都缺一个牙，这就是胚芽被无情地碾掉了。实际上，稻米的多数营养物质（B族维生素、矿物质）都在糠皮和胚芽上，对排便非常有利的食物纤维也主要在糠皮上，所以吃稻米，尽量多吃些糙米，尽量吃保留胚芽的米。现在有种"发芽糙米"是胚芽部分处于发芽状态的稻米，含有更高的营养价值。

很多人的早餐选择了面包，既方便又好吃。其实我们可以多选择燕麦面包、全麦面包，因为与白面包相比，这样的面包食物纤维更丰富，风味也比较独特。

对于上边提到的食物，关键一点是增加粗粮、食物纤维丰富的食品，这样利于肠道"打扫卫生"，食物纤维就像一把大扫把，把肠道中的垃圾废物清扫一遍。但是对于一些肚子不舒服，没有食欲的人，都想吃一些易于下咽的食物，这时粗粮可以少些，可选择一些对肠道刺激较小的食物（小麦粉制成的面食较合适）。

## ■ 不能只爱健康食品

Healthy food是食品的一个种类，具有一般食品的共性，其原材料也主要取自天然的动植物，经先进生产工艺，将其所含丰富的功效成分作用发挥到极至，从而能调节人体机能，适用于有特定功能需求的相应人群食用的特殊食品。只吃健康食物的人所有的细菌活力都不强。好菌没有获得充足的营养，坏菌虽然数量多，但是一样活力不足。光吃健康食品，却不吃真正的食物，这样的人精神容易变得不稳定，对外貌影响也比较大。只吃健康食物的人很消瘦，而且体质比较坚硬缺乏柔韧性；头发和皮肤都粗糙不堪。摄取营养比较单一，碳水化合物过多，蛋白质、维他命不多。容易因压力造成自律神经不稳定，便便的质量属于颗粒状不健康状态。

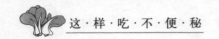

健康食品按功能可分为：营养补充型、抗氧化型（延年益寿型）、减肥型、辅助治疗型等。其中，营养素补充剂的保健功能是补充一种或多种人体所必需的营养素。而功能性健康食品，则是通过其功效成分，发挥具体的、特殊的调节功能。日常生活中人们一提起健康食品，通常都会马上联想到蔬菜、水果，而视油腻为大敌。实际上，很多肉类、油料作物、动物内脏也对人体健康的维持能起到很关键的作用。但直至现时为止，一些国家如美国和澳大利亚在法律上并没有对健康食品下定义，而台湾地区就把健康食品定义为"提供特殊营养素或具有特定之保健功效，特别加以标示或广告，而非以治疗矫正人类疾病为目的食品"。无论是那种类型的健康食品，都是以保健为目的，不能速效，而需要长时间服用方可使人受益。

## 酷爱吃肉的人请注意

前面说过人体有三大能量来源：脂肪、蛋白质和碳水化合物。其中脂肪所产生的热量最高。1克的碳水化合物和1克的蛋白质分别可产生4000卡的热量，1克的脂肪可产生9000千卡的热量。而动物性食物，主要包括猪、牛、羊、鸡等畜禽肉，正是脂肪的主要来源。调查显示，我国近二十年来，脂肪、蛋白质和碳水化合物对人体的供能比发生很大变化，脂肪供能比显著增高，已超出人体所需30%的上限。肉类的营养价值非常高，但若偏好肉类而不吃其他食物的话，就会出现一些问题：肉食属酸性，吃多了体制会偏酸。许多因为生活质量提高、食物精细引来的"现代病"，都与吃肉吃出来的"酸性体质"有关，如高血压、糖尿病、脂肪肝、动脉硬化、痛风等。

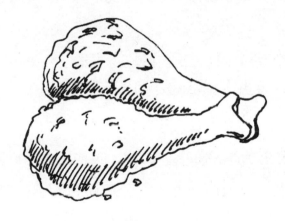

与此同时，以前十分罕见的痛风病、脂肪肝等也在刚过30岁的青壮年中高发。除了猪、牛、羊等红肉中脂肪含量过高外，肉类中还含有嘌呤碱，这类物质在体内的代谢中会生成尿酸。尿酸大量积聚，会破坏肾毛细血管的渗透性，引起痛风、骨发育不良等疾病。最新的研究还表明，过量吃肉会降低机体免疫力，使人体对各种疾病难以抵抗。而且多食肉者体内的坏菌数量增加，免疫力也跟着降低。性格变得粗暴易怒，也越来越没有耐心；皮肤和头发散发出动物般的臭味，头发变得很油腻；体型肥胖有啤酒肚；营养方面蛋白质以及脂肪摄取过多，碳水化合物偏少，饱和脂肪酸摄取过多；便便的状态呈现颗粒状，散发出恶臭，量少偏油；有便秘的倾向，常放屁。

我们离不开肉但是吃多了也不好，那要怎么吃才健康呢？吃的时候多了解点和安全有关的知识，尽量减少可能的危害。

营养学家们建议，吃肉时应遵循的一条重要原则是：吃畜肉不如吃禽肉，吃禽肉不如吃鱼肉。畜肉中，猪肉的蛋白质含量最低，脂肪含量最高，即使是"瘦肉"，其中肉眼看不见的隐性脂肪也占28%。因此，某些需要限制脂肪酸摄入量的心血管、高血脂病患者，千万不要以为吃"瘦肉"就是安全的。

此外，吃猪肉时最好与豆类食物搭配。因为豆制品中含有大量卵磷脂，可以乳化血浆，使胆固醇与脂肪颗粒变小，悬浮于血浆中，不向血管壁沉积，能防止硬化斑块形成。

禽肉是高蛋白低脂肪的食物，特别是鸡肉中赖氨酸的含量比猪肉高13%。鸡肉最有营养的吃法就是熬汤，还能起到医疗效果：可振奋人的精神，消除疲劳感，治疗抑郁症；加速鼻咽部的血液循环，增强支气管的分泌液，有利于清除侵入呼吸道的病毒，缓解感冒症状。而鹅肉和鸭肉不仅总的脂肪含量低，所含脂肪的化学结构与猪肉也不同，更接近橄榄油，主要是不饱和脂肪酸，能起到保护心脏的作用。

鱼肉是肉食中最好的一种。它的肉质细嫩，比畜肉、禽肉更易消化吸收，对儿童和老人尤为适宜。此外，鱼肉的脂肪含量低，不饱和脂肪酸占总脂肪量的80%，对防治心血管疾病大有裨益。鱼肉脂肪中还含有一种22碳6烯脂肪酸，对活化大脑神经细胞，改善大脑机能，增强记忆力、判断力都极其重要。因此，人们常说吃鱼有健脑的功效。

另外，对肉类的摄取每天别超过200克。按照合理的饮食标准，每人每天平均需要动物蛋白44～45克。这些蛋白除了从肉中摄取外，还可以通过牛奶、蛋类等补充。因此，每天最好吃一次肉菜，而且最好在午餐时吃，肉量以200克左右为宜。再在早餐或晚餐时补充点鸡蛋和牛奶，就完全可以满足身体一天对动物蛋白的需求了。

## ■ 垃圾食品的摄取

随着社会节奏的加快，人们一切饮食以方便为主，尤其是社会的中流砥柱——青少年以及上班族，超市食品和快餐最方便满足了人们的需求，于是人们不爱下厨房了，恕不知超市食品和快餐大多数是垃圾食品，食用多了对人体有害无益。那什么是垃圾食品呢？垃圾食品是指含人体所需营养成分，经过炸、烤、烧等加工工艺使营养成分部分或完全丧失，或在加工过程中添加、生成或长期过量食用在人体内产生有害物质潴留的食品。如含苯并吡的油炸类食品、含亚硝酸盐的熏制类食品以及易造成水钠潴留的腌渍类食品，等等。

世界卫生组织公布的十大垃圾食品包括：油炸类食品、腌制类食品、加工类肉食品（肉干、肉松、香肠、火腿等）、饼干类食品（不包括低温烘烤和全麦饼干）、汽水可乐类饮料、方便类食品（主要指方便面和膨化食品）、罐头类食品（包括鱼肉类和水果类）、话梅蜜饯果脯类食品、冷冻甜品类食品（冰淇淋、冰棒、雪糕等）、烧烤类食品。

爱吃超市食物、泡面的人们，体内好菌几乎全被消灭，剩下的几乎都是坏菌，数量也不多。含有食品添加物，高盐、防腐剂、杀虫剂等的食物，属于高胆固醇类，易引发糖尿病，免疫力也会降低。外表一般体型肥胖，松软丰满；皮肤和头发都很粗糙，不得不画浓妆或者戴帽子来遮掩。营养方面食物纤维、维他命、矿物质不足，导致血液浑浊，易致癌。便便很硬，呈颗粒状。

垃圾食品一般包含三层含义：营养质量较差；容易让人

不知不觉中发胖；不利于预防慢性病。按照这三个含义，我们来给垃圾食品排排名：

垃圾指数：★★★★★

可乐等汽水——典型的"垃圾食品"。其中除了糖分和磷之外，几乎不含有人体所需要的其他营养成分。目前我们所食用的食物中磷已经过多，而过多的磷会妨碍钙的吸收，促成钙的流失。膳食中有了粮食之后，也不需要额外的糖分。

白酒——虽然很多产品标榜是"纯粮食发酵"，但粮食中的种种有益成分并没有进入白酒，白酒除了酒精和水分以及香气物质，在营养上可以说是一无所有。白酒的酒精本身就是一种有毒物质，既损害肝脏，又妨碍营养吸收，代谢中还要额外消耗B族维生素。

垃圾指数：★★★★

麻花、馓子等煎炸小食品——蛋白质、维生素和矿物质含量都不足。煎炸的油经长时间加热，脂肪酸发生有害化学变化，会引入多种有害成分；为改善口感，常常在其中添加明矾，是食品中铝污染的来源。

糖果——成分主要是蔗糖，含糖量通常在85%以上，在糖类食品中，巧克力营养形象不错，但真正对健康有益的，只有可可含量超过70%的黑巧克力。

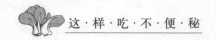

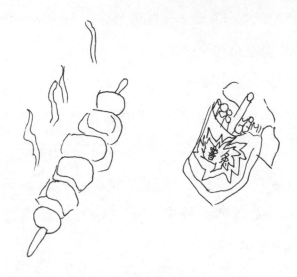

薯片和锅巴——薯片的原料是富含钾和B族维生素的马铃薯，基础很好，可在煎炸过程中吸收了大量油脂，维生素损失严重，而且形成了不利健康的"丙烯酰胺"类物质。同时，经过过度调味，含盐量较高。

垃圾指数：★★★

方便面——维生素和矿物质含量低，膳食纤维少。其汤料包中含有大量盐分和味精，酱包或油包中含有大量脂肪，而且难以保证新鲜。但它油炸程度不高，丙烯酰胺含量较低，也不用加入明矾，故而垃圾程度低于其他煎炸小食品。

膨化小食品——蛋白质含量低，维生素不足。表面有调味料，含盐量较高，有的还含有铝。而且很多产品含有氢化植物油，其中的反式脂肪和饱和脂肪对心脏健康十分不利。

月饼和其他甜点——属于高糖分、高脂肪、低纤维的食物，能量很高，多吃容易增加体重。各种所谓的果料产品，其实主要来自于水果香精和色素，并不能代表水果的营养价值。

垃圾指数：★★

汉堡包——含淀粉、蛋白质、脂肪和矿物质。有一定营养价值，主要问题是脂肪多、纤维少、维生素C和其他抗氧化成分不足。如果同时搭配蔬菜，下一餐再吃些粗粮豆类，可成为正常饮食的一部分。

现在美国有一句流行的口头禅，叫做"Keep away From the junk Food will make you healthy and wise"（远离垃圾食品会使您变得健康和聪明），一句话道破了垃圾食品对人体的潜在隐患。

对待垃圾食品也不是完全禁止，最关键的是要控制食用的数量与次数。只要不经常把它们当做一顿饭吃，不把它们

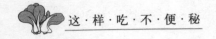

当做爱不释手的食品，偶尔吃一下也无妨。食品只有作为平衡膳食的一部分才能体现它们的营养价值，家庭平衡膳食的四条基本原则是食物多样化、食物均衡性、适量及个体化原则。所以在吃油炸食品时控制其数量及次数，并增加一定量的蔬菜与水果；每周只少量地喝碳酸饮料；吃方便面时先将下面条的油水弃去后再食用，就会减少饱和脂肪酸的摄取，如果再能加上一定量的荤菜和蔬菜，那营养就会更为全面。少吃零食甜食，改变挑食偏食的不良饮食习惯，克服饮食上的不良嗜好等都可以减少垃圾食品的危害，还可以增加许多生活乐趣。

# 素食主义者的沉思

## ■ 营养均衡

近些年由欧洲大陆开始掀起的动物保护狂潮推动了素食主义的发展。对于素食，目前尚无严格而明确的定义，而素食者的食谱更是五花八门：有的素食者只食用植物性的食物；有的素食者不仅食用植物性食物而且还食用奶制品；有的除上述食物外，还食用蛋类制品；另有一部分素食者只排除畜、禽类食物，但鱼类是他们的盘中佳肴。现代营养学研究证实，适宜的素食方案对人体健康确实有一定的好处，例如：

中医的阴阳调和，肉食多厚重，使用过多，使血液污浊，胃肠负重，肾脏疲惫，身体机能失去应有的平衡。所以中医建议我们以素食来调理身体，是很好的延年益寿之道；与非素食者相比，素食者的体重更趋向于理想体重。这可能要归因于素食的低脂肪、高碳水化合物、高纤维的特点，这些特点决定了素食者的热能摄入低于非素食者。

素食者的血压水平较低。其原因可能与素食者的戒烟、忌酒、体育锻炼等生活行为有关，除此之外，理想的体重也起到了一定的作用。

素食者冠心病发病率低于非素食者。冠心病与饮食中饱和脂肪酸和胆固醇的含量密切相关，素食中总脂肪酸、饱和脂肪酸和胆固醇的水平较低，而膳食纤维含量较高，这有利于降低冠心病的发病。

缓解便秘，毫无疑问素食中的大量蔬菜成为了好细菌繁殖的营养来源。好细菌增加后消灭坏细菌，所以也提升了免疫力，性格也变得温和，但是体力会稍显不足。只吃素食的人，体型比较消瘦；皮肤和头发的状态还不错，但是较无光泽；容易疲劳不易动怒；营养方面大多摄取碳水化合物，脂肪不足容易造成贫血、低血压；便便很大、软硬参杂，香蕉型，几乎无气味。某些癌症的患病率较低，尤其是结肠癌。这与素食者忌食肉类食品，多食蔬菜、水果、谷物等富含维生素和膳食纤维的食物有关。

由于大家对素食推崇，在这里我们，应当指出的是人们在对素食的认识上确实还存在着一些误区。

**误区一：素食可以保证人体的各种营养素需求**

随着现代营养学的发展，人们有可能从素食中获得充足、均衡的营养，但这必须以合理设计素食为前提。对于大多数人而言，其营养学知识并不足以设计出一份完美的素食食谱。素食者容易缺乏的营养素包括维生素$B_2$、维生素$B_{12}$、维生素D、钙、铁、锌等。维生素$B_2$和维生素$B_{12}$的良好食物来源主要是动物性食品，以肝、肾、心、蛋黄、乳类等含量尤为丰富，植物性食物则以绿叶蔬菜、全谷和豆类的含量较多。因此，以精制谷类为主食的素食者容易缺乏维生素$B_2$和维生素$B_{12}$，而造成口唇裂纹、口腔粘膜溃疡、丘疹、脂溢性皮炎、睑缘炎角膜毛细血管增生等症状，严重者还可以造成婴幼儿生长发育迟缓、轻中度贫血等。维生素D主要存在于海水鱼、肝、蛋黄等动物性食品中，除此以外，阳光照射可以使体内生成一部分维生素D，对于素食者而言，阳光照射生成的维生素D是其主要来源，另外可以食用强化维生素D的食品，例如牛奶等。奶及奶制品含钙量丰富，就植物性食品而言，含钙量最丰富的是豆类，对于那些忌食奶类的素食者，应多食豆类制品，需要指出的是并非所有豆奶中都富含钙质，最好饮用强化了钙质的豆奶。严重的维生素D和钙的缺乏在儿童中可以造成佝偻病，在成人（尤其是孕妇、乳母、老人等）则能够造成骨质疏松和骨质软化病。作为人体含量最多的必需微量元素，铁主要存在于动物性食品中，虽然某些植物性食品中也含有铁，但由于其中的草酸盐、植酸盐以及多酚类物质可以阻碍铁的吸收，从而造成缺铁。缺铁性贫血是缺铁的常见后果。就普通人而言，食物中半数以上的锌来自于肉、禽、鱼类，而来自于谷物和豆类中的锌，由于其中膳食纤维、支链淀粉和草酸盐的存在而阻碍其吸收。特别应当指出的是，作为肉类代用品的豆类食品中锌的利用率尤其低。缺锌的主要后果是生长发育迟缓、免疫功能下降、感觉迟钝、食欲不振。

### 误区二：素食＝绿色食品

绿色食品，又称生态食品、自然食品，是"无污染的安全、优质、营养的一类食品的简称"。它强调食物生产和加工过程中完全不使用或控制使用化学合成的肥料、农药、兽药、动植物生长调节剂、食品添加剂、畜禽和水产养殖饲料添加剂和其他有害于环境和人体健康的物质；而素食是指人们的能量和营养素的来源主要为植物性食物，二者不可混为一谈。例如：绿色食品也包括牛奶等严格意义上不属于素食的食品，而素食食品在生长、收获、加工、运输的过程中也可能受到有害于环境和人体健康的物质的污染。

### 误区三：素食适用于各种人群

素食并不适用于某些特殊人群，这主要包括婴幼儿、生长发育期的青少年、孕妇、乳母以及老年人。由于处于特殊的生理时期，其热能及某些营养素的需要量增加，而素食中上述营养素的含量不足以满足身体需要而造成缺乏。例如妇女在怀孕期间，总热量、优质蛋白质、钙、铁、锌、碘的矿物质、各种维生素的需要量大幅度增加。虽然在怀孕前素食可以满足孕妇机体的热能及营养素的基本需要，但是在怀孕期间，进食量没有大幅度增加的情况下，如果不找到营养价值足够高的替代食品，热能和营养素的缺乏足以造成胎儿的发育不良。

## ■ 奶制品的摄取

奶制品是西方膳食的重要组成部分，也是他们膳食钙的主要来源，而我国居民的奶制品消费量还很低。奶及奶制品含钙丰富且利于吸收，每100ml牛奶或酸奶的钙含量在110mg左右，而奶酪的钙含量更高。奶制品中的蛋白质是优质蛋白，可以提供多种人体必需氨基酸，各种必需氨基酸之间有良好的配比关系，便于人体吸收和利用；奶制品含有丰富的酪蛋白，不仅可以促进钙质吸收，还与我国传统的植物性食物为主的蛋白质产生互补作用，增强蛋白质的生物利用度。奶制品（除奶酪外）含有3%左右的脂肪，主要是饱和脂肪酸，呈乳化状态的脂肪球，可以被人体直接吸收，也是"奶香"的来源。奶制品中含有一种特有的糖类——乳糖，乳糖在人体胃肠道内的吸收速度较慢，可以在肠道内缓慢分解，发生高血糖的危险性较低，还可以促进钙、磷、锌、镁等离子的吸收利用，人体吸收后的乳糖可以作为人体的能量来源并参与神经组织的构成。

奶制品含有一定量的B族维生素，如维生素$B_2$、维生素$B_{12}$、泛酸、胆碱等，也含有一些脂溶性维生素，如维生素A、维生素D等。由于维生素D的食物来源非常有限，牛奶也常作为强化维生素A和维生素D的载体，许多国家通过在牛奶中强化维生素A和维生素D来改善此营养素的营养状况。

另外，近年来研究表明，奶制品含一定量的卵磷脂、脑磷脂和神经鞘磷脂，以及少量的EPA和DHA等，有利于婴儿神经系统的发育。奶制品也含有一定量的生物活性蛋白，如乳铁蛋白、免疫球蛋白等，可提高机体免疫力。另外，摄入奶制品可以促进机体产生胰岛素样生长因子I（IGF-I）等，促进儿童生长发育。对于便秘者来说，奶制品的摄取也是不可或缺的其中尤以酸奶和奶酪为重。

酸奶是以新鲜奶、脱脂奶、全脂奶粉、脱脂奶粉或炼乳为原料接种乳酸菌，在一定时间、一定温度下，发酵而成的一类含多种有益菌群的乳制品。经过牛奶到酸奶的发酵过程，不仅口味发生变化，一些营养成分也适当分解，变得更有利于人体吸收利用，同时增加的乳酸菌还具有保护肠道的作用。

酸奶既保持了牛奶的营养特点，又增加了其独特的优点。酸奶和牛奶的维生素和矿物质成分比较相似，在发酵过程中，维生素$B_{12}$和维生素C被消耗，产生叶酸钙、镁和磷的可溶度增加，而生物利用率提高，如酸奶中的部分钙解离为钙离子，吸收率可以达到40%以上。经过发酵后，酸奶中约20%的蛋白质分解为小的肽链和氨基酸，多数乳糖分解成半乳糖，酸奶中的乳酸、半乳糖、游离氨基酸和游离脂肪酸比牛奶高，因此一些饮用牛奶会出现不适症状的乳糖不耐受个体可以选择酸奶。

酸奶的另外一个重要特点是含有丰富的乳酸菌，对肠道菌丛有明显的改善作用，可以缓解便秘的发生。乳酸菌在肠道内可抑制病菌的生长，形成生物学屏障，其代谢产生的乳酸和脂肪酸等使肠道的PH值降低，与乳酸菌分泌的抗生素一起抑制或杀死肠道致病菌，也可以预防及治疗致病菌所致的腹泻。由于多数酸奶中存在活菌，因此保存条件要求较高、保质期较短，一些偏远地区不易达到，价格也略高于鲜奶。

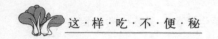

酸奶按照加工工艺可分为凝固型和搅拌型两大类，尽管口味和感观有所不同，但营养成分基本相同。

奶酪是牛奶经浓缩、发酵等复杂而且严格工艺加工而成的一种奶制品，1kg奶酪通常由10kg左右的牛奶浓缩而成，近似固体食物，水分含量大大减少，保留了牛奶中的精华部分，含有丰富的蛋白质、脂肪、钙、磷和维生素等营养成分。奶酪与酸奶有一定的相似之处，都是经过发酵，含有大量的乳酸菌。在加工过程中的有益菌的作用下，部分营养成分变得更容易被人体消化和吸收，也使奶酪产生特殊的香味。奶酪中的乳酸菌及其代谢产物可以帮助维持人体肠道内正常菌群的稳定，防治便秘和腹泻。但奶酪并不是适合所有人群食用。奶酪中的脂肪和能量相对较多，过多食用可能增加肥胖危险性。奶酪在生产过程中加入了一定量的钠盐，且含有较多的饱和脂肪酸，高血压和高血脂的人不宜食用过多。奶酪含钙量虽然较高，但钠盐、磷酸和蛋白质等增加钙排出的成分含量也很高，所以如果单纯从钙的角度出发，奶酪的益处被大打折扣。

## ■ 动物性食品的重要性

有一些人因为担心发胖，谈肉色变，平时很少吃甚至根本不吃任何肉类，这种极端做法其实造成了另一种营养失衡。因为完全的素食主义，影响优质蛋白、铁的摄取，也影响一些脂溶性维生素的消化和吸收。所以，我们主张还是要少量地、经常地多吃一些肉类的东西。

肉既不能多吃，也不能不吃，需要适量适度摄入。要想设计一份完美的食谱，必须遵循一定的原则：均衡、适量、充足、多样。对于那些偏食、忌食（当然也包括素食）的人群，上述原则更为重要。就便秘的人而言，均衡、适量是最

我的身体需要肉！！

重要的，尤其不要多食富含饱和脂肪酸和胆固醇的食品，同时应当适量增加富含膳食纤维、维生素的蔬菜、水果、谷物的摄入；就素食人群而言，应当强调充足、多样，人体必需的营养素一定要充足，食物来源一定要多样，不仅要食用谷类、蔬菜、水果，而且应当摄入豆类、奶类以及坚果等素食，只有这样才可能避免由于食物来源单一而造成的营养素缺乏或过剩。无论是食肉或是食素，都可能在一定程度上增进健康，也有可能对便秘者造成潜在的危害，关键问题是如何通过良好设计的食谱获得均衡、适量、充足、多样的营养素。同时，人们必须认识到，饮食只是影响便秘的一个方面，除此之外，良好的生活方式、愉快的心情、健康的环境、适宜的卫生习惯都会对便秘产生深远的影响。

# 节食减肥的意义

很多人想要减肥又不爱运动，那怎么办呢，于是节食减肥就应运而生了。其实节食本质上对减肥毫无帮助，减去的部分包括了水分、瘦肌肉、脂肪，复胖后胖回来的却都是脂肪，所以是非常得不偿失的做法。另外严重的副作用是：机体细胞为了寻求最基本的能量平衡，在多次节食刺激下，认为身体无法正常与连续性的提供外来能量，所以只能自我保护的把内在的基础代谢水平降至最低，以求达到能量收支平衡。同时在一但有条件补充能量时马上囤积储备起来以防在下次失去能量来源时可以使用，而且这种代谢异常化会形成记忆轨迹一直恶性循环下去，于是节食后吃得少也反弹了，吃什么也更容易胖了，同时每反弹一次就增加一分减肥的难度。

另外节食在健康的危害方面更需要引起足够的重视。因为节食减肥的人身体内已经是细菌无法栖息存留的状态了，除了坏菌，几乎没有其他的细菌，不仅免疫力降低，也容易

· 169 ·

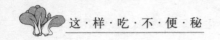
引发精神疾病。而且体质僵硬，骨瘦如柴。肌肤和头发都非常粗糙。营养失调很容易患上感染症、暴食症、忧郁症，便便的状态非常僵硬，有时呈现黑色。节食容易导制的问题还有以下几点：

1.贫血。

营养摄入不均衡使得铁、叶酸、维生素$B_{12}$等造血物质摄入不足；吃得少，基础代谢率也比常人低，因此肠胃运动较慢，胃酸分泌较少，影响营养物质吸收。这些都是造成贫血的主要原因。

2.子宫脱垂。

没有足够的保护，子宫容易从正常位置沿阴道下降，子宫颈下垂，甚至脱出于阴道口外，形成子宫脱垂。严重的还可能导致宫颈口感染，甚至宫颈炎。

3.胃下垂。

以饥饿法减肥的女人常常感觉食欲不振、胀气、胀痛，这都有可能是胃下垂的征兆。胃下垂明显者常见腹部不适、饱胀、重坠感，在餐后站立或劳累时症状加重。胃下垂严重时还伴有肝、肾、结肠等内脏下垂的现象。

4.损害脑细胞。

生理学家认为，节食的结果是机体营养匮乏，这种营养缺乏使脑细胞的受损更为严重，直接结果是影响记忆力和智力。节食越久和减重越多的人记忆力损失越大。

5.头发脱落。

头发的主要成分是一种称为角朊的蛋白质，锌、铁等也是毛发生长不可缺少的微量元素。过度节食，导致蛋白质及微量元素摄入不足，致使头发因严重营养不良而脱落。

6.诱发胆结石。

过度节食，由于供能的减少导致沉积于组织中的脂肪库存消耗，胆固醇随之移出进入胆汁，使胆汁中胆固醇的浓度激增，胆汁变得黏稠，析出结晶而沉淀下来。

7.猝死。

由于因饮食热量不足及饥饿，铜、钾、镁等元素不平衡，加上交感神经亢进，心肌细胞纤维萎缩，缺乏肝糖，造成无法代谢肾上腺素，因此一旦有压力发生，则容易导致心律不齐，进而引发心脏麻痹致死。

# 不便秘的实践

■ 便秘的痛苦真是难以言喻，让人吃不香、睡不稳，时间久了，心理上也有了负担，坐在马桶上，更是如临大敌。

如果您便秘成病，而且伴有各种不良症状那就是肠道染病的前兆。这时就需要进行便秘的自测，测测自己是属于哪种便秘，与此同时，还要到医院进行必要的检查，以便进行针对性治疗。

在对便秘进行自测上，可采用以下几种方法：

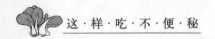

# 不便秘的自我检查与评估

## ■ 根据大便的性质自测

### 大便先干后溏

也就是说，一开始排便比较艰难，解出的大便质地较硬，到后来大便的质地就变稀甚至不成形了。为什么会出现这种情况呢？中医学认为这也是脾虚的一种表现。脾虚病人，运化水谷的功能减退，水谷中的精微物质在小肠尚没有被很好地吸收利用就传入大肠，由于先入大肠的水谷在肠道中形成糟粕，停留时间较久，水分被吸收，后进入大肠的部分，还来不及充分吸收水分，所以使大便先干后溏。

### 大便变细变扁

多为括约肌痉挛引起，但持续变细变扁时应考虑肛门或直肠狭窄，这样的情况常见于直肠肿瘤。若大便出现凹槽，说明直肠、肛门有赘生物，赘生物犹如模具，在成形的大便通过时会印出凹痕，所以大便上的凹槽常常是直肠癌的早期信号。

### 大便呈块状

当直肠便秘时，由于直肠平滑肌弛缓，排出的粪便多呈块状，且排出困难；巨结肠症、乙状结肠狭窄及降结肠肿瘤病人，其排出的粪便会形成球状坚硬的粪块，称为"粪石症"。若坚硬粪块带有黏液血丝，应考虑直肠黏膜有继发性炎症，如萎缩性胃炎、慢性直肠炎。

### 人便如羊屎

粪便呈圆球形羊粪状或兔粪状，常见于痉挛性结肠便秘。如结肠过敏的人，常在腹部绞痛后排出胶冻状、细带状便或排出羊粪状便，且坚硬的粪便表面会附有少量黏冻。

## ■ 根据年龄自测

### 新生儿便秘

新生儿出生后4小时左右应有胎粪排出，且最迟不超过出生后48小时。若超过此期限并出现持续性便秘，同时伴有腹胀、呕吐等其他胃肠道症状，往往与先天性肠道畸形有关，如先天无肛门。孩子出生1~2天内不见胎粪排出，腹部胀满，喂奶后频繁呕吐，应考虑是直肠闭锁或没有肛门。由于先天性肛门直肠畸形，导致急性完全性低位肠梗阻，会导致新生儿死亡。所以，一旦发生上述情况应该请医生进行诊断，并采取相应的手术矫正治疗措施。根据畸形类型，对肛门直肠狭窄者，采取扩肛术；对无肛门者采取肛门成形术；对直肠型高位畸形采取结肠造口术。孩子出生后有过粪便排出，但是接着就出现严重的便秘并且有明显的腹胀，应考虑先天性巨结肠症。这是一种先天性疾病，因结肠神经的病变，使该处平滑肌不能松弛而造成肠腔狭窄，发生机械性肠梗阻，粪便难以通过狭窄部位，就堆积在肠腔内，导致结肠明显扩展，发生严重的便秘。疑为先天性巨结肠症，应请医生诊治，必要时需要做x线检查，确诊后及时做手术治疗。新生儿若是母乳不足，或肠壁肌肉活动力弱，或喂养牛奶等引起的功能性便秘，情况一般良好，没有呕吐现象，只要适当调理即可恢复正常。

### 儿童便秘

儿童发生便秘，常见的原因有贪玩，忽视便意；偏食，膳食纤维过少；紧张或环境改变；因有肛裂或痔疮而害怕大便等。贪玩的小儿常常因玩得起劲而顾不上大便，由于经常忽视便意，不定时排便，粪便在大肠内停留时间过久，水分被过多吸收，大便就变得干结而不易排出。偏食的小儿从小没有养成良好的饮食乏惯，特别不喜欢吃水果与蔬菜，喝水也不多，或者只吃那些煎炸的食物或零食，或者胃口实在太小，摄入的食物过少、过细。这样，由于食物中缺乏纤维素，食物残渣过少，对肠道的刺激就减少或减轻，以致反射性蠕动减弱，造成了便秘。也有一些喂牛奶较多的小孩，因为牛奶中含酪蛋白较母乳多，在胃内遇酸凝成硬块，不易消化，容易使大便干结。精神紧张或环境改变或生活习惯改变的小儿，可使排便反射发生障碍而引起便秘。有肛裂或痔疮的小儿，常因每次排便时会产生疼痛，就不愿意解大便了，大便不解出，停留在大肠的时间越久就越硬，更加重了肛裂或痔疮，造成恶性循环。

## 青少年便秘

常见的原因有排便习惯不良，饮食习惯不良，运动量大又不喝水等。从小没有养成良好的排便习惯，青少年时期依然如此，有便意时正遇上时间、环境不容许排便的情况，只好等待，过了一会儿，便意消失，又没有了排便的感觉，粪便在肠道停留，水分被过度吸收，大便就变得坚干难解了。时

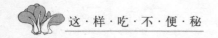

间一久，继发性地引起肛裂、痔疮，更加害怕大便，大便在肠道停留的时间越久，便秘就会更加严重。有些青少年喜欢高蛋白质饮食而不愿意吃一点蔬菜，喜欢吃"麻辣烫"却不愿意喝一口水，膳食纤维少，水分严重缺少。还有一些住校的学生，喜欢睡懒觉，早上起得迟，眼看就要迟到，哪有时间顾上吃饭、喝水、上厕所呢？青少年犹如早上冉冉升起的太阳，处于生长发育的鼎盛时期，阳气旺盛，若运动量大，又不爱喝水，会导致阳盛有余，不但面部容易长疖生疮，而且大便变得很干很硬，排出困难。以上情况引起的便秘均属于功能性便秘，只要在日常生活中引起重视，养成生活规律的好习惯，消除导致便秘的原因，便秘就会不药而愈。

## 成人便秘

导致成人便秘有功能性因素和器质性因素。

### 功能性便秘

进食物过少：感冒、高热、牙齿痛、恶心呕吐或其他疾病的原因造成进食过少，使食物中的纤维素和水分不足，对结肠运动的刺激减少，这样一来，就容易造成肠蠕动缓慢，不能及时将食物残渣推向直肠。食物残渣在肠内停留时间一长，水分被过多吸收就造成粪便干燥，引起便秘。

水分损失过多：在大量出汗、呕吐、腹泻、失血及发热等情况下，体内水分过度损失，造成水、电解质平衡失调，会代偿性引起粪便干结，出现便秘。

食物过于精细：吃的食品过于精细，或者长期食用低渣的罐头食品，或者因为消化能力减弱，吃食吐渣，使消化道内缺乏必要的残渣，对肠道不能形成一定量的刺激，进入直肠后的粪便残渣因为量少，不能形成足够的压力去刺激神经感受细胞产生排便反射而引起便秘。十多年前，西方国家普遍认同的"精细饮食"，造成便秘病人甚多，就是这样的原因。

排便动力不足：排便时不仅需要肛门括约肌的舒张、肛提肌向上向外牵拉，而且还需要膈肌下降、腹肌收缩、屏气用力来推动粪便排出。年老体弱、久病卧床、妇女产后，可因膈肌、腹肌、肛门括约肌收缩力减弱，腹压降低而使排便动力不足，造成粪便排不干净，粪块残留肠内，因而发生便秘，所以老年人多出现便秘的问题。

排便习惯受扰：一些人把大便当做无关紧要、可早可迟的事，忽视定时排便的习惯；或因工作过忙、外出开会等，拖延了大便时间，使已到了直肠的粪便返回到结肠；或由于突然的精神因素导致情志抑郁、忧思气结等忘记了排便。还有长途旅行、出差探亲等原因，往往使得人们的生活规律发生了改变而未能及时排便，久而久之，使直肠对压力的感受

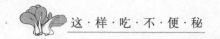

性降低，终于形成了便秘。

滥用强力泻药：有些便秘病人未经医生同意，自己随意到药房买些泻药轻率使用，反而使便秘程度加重，造成严重的后果。长期滥用泻药，使肠壁神经感受细胞的应激性降低，即使肠内有足量粪便，也不能产生正常蠕动及排便反射，因而导致顽固性便秘。比如有的病人长期使用番泻叶帮助排便，却不知番泻叶中含蒽醌衍化物，其泻下功效及对肠道的刺激作用十分强烈，会引起腹痛，如经常使用，会使肠道的敏感性减弱，形成对泻药的依赖性。其中的不良反应甚至还会酿成大祸。

以上由于妊娠、出差、生活规律改变、饮食辛辣煎炸或过少过精、突然遇到精神刺激或情绪不良、结肠功能紊乱、服用某些影响肠功能的药物而出现便秘，为功能性便秘，只要消除了以上因素或适当做一些自疗，情况就能大大好转或恢复正常。

### 器质性便秘

直肠和肛门部位的病变：直肠和肛门接近大便的出口处，这些部位发生的病变常见的有肛裂、痔疮、肛门周围脓肿和溃疡。有些病人患有肛裂和痔疮等肛门疾患，因恐惧疼痛、害怕出血、不敢大便而拖长大便间隔时间。这都可能使直肠壁上的神经细胞对粪便进入直肠后产生的压力感受反应变迟钝，使粪便在直肠内停留时间延长而不引起排便感觉，形成习惯性便秘。有的病人在该部位做过手术已形成瘢痕或肿瘤瘢痕性狭窄等，也是形成器质性便秘的重要原因。

结肠部位的病变：结肠部位的病变亦会形成便秘。比如结肠良性或恶性肿瘤、肠梗阻、肠绞窄、结肠憩室炎、肠结核、阿米巴病、溃疡性结肠炎、肠粘连、先天性巨结肠症、硬皮病等。结肠部位的病变由于影响了粪便的推进等机制而造成便秘。

肌力和神经系统受损：由于各种原因造成的肌力减退，或神经系统受损使得肠壁平滑肌、肛提肌、膈肌或腹壁肌无力等使排便困难。如慢性肺气肿、严重营养不良、多次妊娠、全身衰竭、肠麻痹等可以造成肌力减退而引发便秘。若患有过敏性结肠炎、大肠憩室炎、先天性巨结肠等疾病，可以导致大肠痉挛、肠蠕动失常，使粪便通过不畅而形成便秘。若病人发生脑血管意外，脑脊髓肿瘤、截瘫、多发性神经根炎等神经系统损伤的疾病时，可以发生因神经传导障碍而导致的难愈性便秘。因为该神经系统累及到支配肠的神经，而神经损伤往往难以修复，故发生的便秘不容易被彻底治愈。

内分泌和代谢疾病：内分泌功能紊乱或代谢疾病也可以发生便秘。如甲状旁腺功能亢进时，肠肌松弛、张力减低；

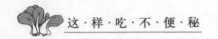

甲状腺功能减退和腺垂体功能减退时肠的动力减弱；尿崩症伴失水；糖尿病并发神经病变。这些疾病均可出现便秘。

化学药品的影响：某些药物和化学品、吗啡和阿片制剂能使肠肌松弛，并抑制中枢，降低对排便反射刺激的敏感性；抗胆碱能药、神经节阻断药及抗忧郁药能阻断M胆碱受体，使肠肌松弛；次碳酸盐以及氢氧化铝有收敛作用；铅中毒引起肠痉挛等，均可引起便秘。临床上常见的引起便秘的药物有：碳酸钙、氢氧化铝、阿托品、溴丙胺太林、吗啡、苯乙哌定、碳酸铋等。此外，铅、砷、汞、磷等金属中毒都可引起便秘。

因此，成年人从前大便通畅，近期发生便秘，而且进行性加重，但又找不出适当的理由，通过饮食调整、一般治疗等未见好转，应去医院请医生进行详细检查。若伴有明显的贫血症状以及消瘦等情况，应考虑结肠憩室、肠道肿瘤的可能性，马虎不得。

## ■ 根据伴随的状况自测

既然便秘会带来这么多的不良后果，那么怎么才能知道自己是不是有便秘或者便秘的严重程度呢？作为一个现代人，不论您平时工作学习有多忙，都应该时刻留意自己大便的排出是否有规律，平时的排便习惯最近是否有所改变，大便的颜色和外观有什么异常变化等。因为，大便的颜色和外观可以间接地反映您的胃肠道情况，比如大便带血或黑大便提示有消化道出血，大便中有不消化的食物残渣提示您可能有消化不良，大便变细或者表面有沟槽等变化提示肠腔内可能有肿瘤生长。偶尔发生的一次或两次便秘可以不去看医生，也不必紧张，多吃一点富含纤维素的蔬菜、水果，改善一下饮食结构，或者自己吃一点温和的泻剂就可以解决问题了，但是如果出现我们在下面谈到的这些症状，就应该及时去医院就诊了。

### 便秘伴有腹痛

便秘伴有明显的腹痛，首先需要排除是否存在肠道梗阻。完全性肠梗阻的典型症状有腹痛、腹胀、恶心、呕吐、肛门停止排气。如果是不完全性肠梗阻，大便虽然不通，但是肛门还有排气。肠梗阻除了会出现以上症状，有时还可以看到腹部膨隆胀气、肠型，听到活跃的肠鸣音或者肠鸣音完全消失，腹部有明显的压痛，有时甚至可以摸到包块。

### 便秘伴有腹部包块

便秘伴有左下腹部包块可能有3种情况，粪块、痉挛的结

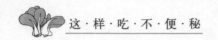

肠或结肠肿瘤。如果包块呈条索状，解便后消失，往往是粪块，不必惊恐就医；如果包块呈腊肠形状，表面光滑，揉压可以消失，往往提示是痉挛的结肠；如果包块质地硬、位置固定，无论是排便后还是揉压包块都不能使之消失，这种情况千万不能掉以轻心，应该及时去医院就诊，进行必要的检查，以明确是否为结肠肿瘤。

### 便秘伴有消瘦

便秘伴有消瘦是一个不可忽视的重要症状。如果同时出现贫血，大便性状的改变，应该考虑结肠肿瘤的可能，必须及时到医院做检查。人到中老年时，出现便秘同时伴有消瘦，且有糖尿病家族史者，应该去医院查血糖，了解有无糖尿病，以便及时治疗原发疾病。

### 便秘与腹泻交替出现的现象

便秘与腹泻交替出现的现象，即时而便秘，时而腹泻。这种情况可见于肠道功能紊乱性疾病——肠易激综合征，也可以发生在肠结核或者克罗恩病患者身上。肠易激综合征是一种以腹痛或腹部不适伴排便习惯改变为特征的功能性肠病，以中青年居多，多有精神因素和感觉异常，病程长达数年至数十年，但全身健康状况却不受影响。肠结核往往有右下腹痛、包块、结核中毒症状（午后低热）、消瘦、贫血和肠道外结核的症状等，抗结核治疗有效。克罗恩病也可以有上述类似的症状，明确诊断主要依靠x线及肠镜检查，病理活检可以确诊。

### 警惕大便性状改变

大便黑色，柏油样，大便隐血阳性，提示消化道出血。

大便形状变细，警惕大肠肿瘤。

血便也是大肠癌的一个突出表现。但是，鲜血滴在大便的表面应该与痔疮出血、肛裂鉴别。

粪便坚硬如块粒，状如羊粪，可能是结肠痉挛后的大便。

## 培养良好的大便习惯

每个人都有各种习惯，大便习惯也不例外，排便本身是在无意识地反射活动的同时，意识也发挥很大作用的生理现象，故可以通过训练建立条件反射以养成良好的大便习惯。婴儿听到母亲的口哨会解小便就是通过训练建立的条件反射。因此，从小培养良好的定时排便习惯非常重要。对于儿童来说，父母应该督促他们定时排解大便，养成每天早晨起床后或者自己认为合适的其他时间排便的习惯。一般在早晨

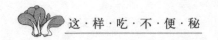
起床后或早餐后最容易产生便意，所以在晨起或早餐后排便是最科学的。

排便时要把注意力集中到排便上来，不做看报、听广播等分散排便精力的事情，避免心不在焉，久蹲排便。有的人全神贯注看书报，全然不知大便是否排出，排便感觉是否已经消失，如厕时间过长，容易引起肛肠淤血，痔疮形成。痔疮和便秘是一对孪生兄弟，常常同时并存，互为因果，恶性循环，使痔疮和便秘加重。

对经常产生便秘的患者，一定要注意把大便安排在合理的时间，养成一个良好的排便习惯。有便意时，一定要及时寻找厕所方便，没有大便的感觉，也应该定时去厕所解一下，时间一般不超过5分钟，实在没有大便解出，不必勉为其难，主要目的是形成生物钟。如果每日上厕仍然不能排解大便，也不要失去信心，只要坚持每日定时重复排便动作，就能逐渐养成正常排便的条件反射，从而养成良好的排便习惯。

改善生活方式，使其符合排便运动生理，增加膳食纤维摄取和饮水量，多活动，进行适当的体育锻炼，都有利于正常排便，预防便秘的发生。

工作紧张忙碌，或早晨时间紧迫，有了便意也不及时排便，常常忍着，长此以往直肠反应就会变得迟钝，难以产生便意，致使粪便停留在体内的时间过长，粪便中的水分减少，粪便变硬，排便变得困难，久之发生便秘。所以，千万不要人为地抑制便意，抑制便意就意味着便秘的开始，失去便意，要想重新建立排便感觉，往往比较缓慢与困难。

长途汽车司机和长期坐办公室等容易发生便秘的人群应该养成良好的定时排便的习惯，每到有便意的时候，应及时排便。由于工作性质，以及上班和上学时状况的差异，不能及时排便就容易造成大便无规律。这就要结合自己认为合适的时间定时解大便，如每天早晨早点起床，养成晨起或早餐后排便的良好习惯。

有些人平时解大便很有规律，但外出旅行时由于环境、生活习惯及饮食结构的变化，可能引起胃肠功能紊乱，导致便秘。即人们常说的"水土不服"，尤以老人较为常见。防治旅游中发生便秘，首先应尽可能做到定时排便，即使没有便意也要"例行公事"，让多年形成的"生物钟"照常运转。旅途中应尽量多吃一些新鲜蔬菜和水果。如若已出现轻度便秘，可以采取以下方法防治。

1. 按摩法。仰卧屈胯，用右手平按腹，自右下腹向上横跨中上腹至左下腹部，呈顺时针方向轻揉，可促进肠蠕动。

2. 每日早晨空腹喝一杯淡盐水有利于排便。

3. 自备一些具有通便功能的药品。如通便灵或开塞露

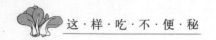

等，使便秘得以及时缓解。

## ■ 便秘的检查方法及评价

　　便秘是一种非常常见的症状，引起便秘的原因很多。有时可能需要做许多检查才能明确导致便秘的原因。但是，我们并不主张一定要采取撒大网式的排除性检查，我们应该细致地了解自己的病史，采取必要的检查对我们的便秘加以鉴别诊断。首先，需要对自己全身的健康状况做一个了解，比如有没有高血压、冠心病、糖尿病、甲状腺功能减退，以及一些神经源性疾病（如脑血管意外、帕金森病、多发性硬化、抑郁症、神经性厌食等），有没有不良的生活饮食习惯及特殊用药情况等。其次，要对直肠排便的情况做一个详细的检查，这些检查大概有我们将谈到的这么几类：

### 直肠指检

　　患者一般取左侧卧位、仰卧位或者肘膝位，医生戴手套并涂以石蜡油等润滑剂，轻轻按摩肛门周围后，手指缓缓插入肛门和直肠进行触摸检查。直肠指检有助于了解患者有无直肠肿瘤、炎症、脱垂、狭窄、粪块、痔疮、肛裂、肛门括约肌痉挛或松弛，判断有无出口梗阻性便秘。直肠指检是便

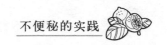

秘初步筛选的重要检查之一。

### X线检查（钡餐检查）

这是通过消化道充气后，吞入x线下可以显影的钡剂后摄影，仔细观察消化道病变的一种方法。钡餐检查一方面可以发现患者有无器质性病变，同时还可用于了解钡剂通过胃肠道的时间、小肠与结肠的功能状态。正常状态下，钡剂在12~18小时内可到达结肠脾曲，24~72小时内应全部排出结肠，便秘时往往排空延迟。肠易激综合征者常表现为结肠袋形加深、结肠痉挛，有时出现线样征象。对于完全性肠梗阻的病人来说，钡餐检查应属禁忌。为了明确结肠器质性病变的性质、部位与范围，宜采用钡剂灌肠。高质量的气钡双重对比造影检查甚至可以检查到直径0.5厘米的微小癌灶。但不能取组织做病理检查是这种检查的缺点。

### 结肠镜检查

结肠镜检查时需要将一根数米长、手指粗的镜子从肛门一直插入到盲肠附近，这样医生就可以很直接地观察患者肠道里面的情况，如黏膜有没有充血水肿，肠腔内有没有肿块堵塞，肠道内有没有溃疡或息肉等。便秘的患者出现腹痛、大便带血、大便形状变细或者同时出现消瘦等情况时，就很有必要做这个检查了。但怀疑有肠道穿孔，肠道急性大出血期间或者炎症很重，此时肠道极易被结肠镜损伤，不适宜进行结肠镜检查；此外，老年患者、有冠心病和高血压的患者、肺功能差的患者、有过中风病史的患者等做这个检查时一定要慎重。这项检查最大的优点是可以做病理活检以及一些基本的治疗（取息肉）。

### 结肠镜检查与X线检查的比较

结肠镜能够直接地看到结肠黏膜的病变，还可以取活检（病理检查）。所谓的病理检查就是医生用特殊的小钳子从患者的肠道黏膜上取下一小块，然后通过特殊的染色在显微镜下观察肠道的黏膜细胞、组织形态与结构的检查方法，这是一种有损伤的检查，但是它对炎症、肿瘤等疾病的诊断是最有效的。怀疑便秘的患者有炎症、肿瘤以及有一些肠道先天异常如先天性巨结肠等疾病时，或者常规检查做了以后仍然病因不明确时就需要做这个检查了。但是年老体衰的患者可能就承受不了。X线检查（全消化道）只能观察食管、胃、十二指肠、小肠的病变，而气钡灌肠检查只能检查结肠及直肠的病变。相对结肠镜来说前述检查痛苦较小，年老的患者基本都能承受，如果老年患者肛门括约肌功能差的不能接受该检查。X线检查是一种间接的观察手段，不能取活检，在肠道有出血或者炎症很重时不能进行，有经验的医生会根据不同的患者选择最合适、最经济的方法以便尽快明确诊断。

无论是全消化道钡餐检查、钡剂灌肠还是结肠镜检查，都需要清洁肠道（检查前服用泻药或灌肠）。

### 排粪造影检查

排粪造影就是将钡剂模拟粪便灌入直肠内，在放射线下动态观察钡剂排出（模拟排便）过程中肛门和直肠的功能变化。排粪造影的目的在于诊断和鉴别诊断，以分出便秘是功能性的还是由于肛门、直肠和骨盆底部的器质性疾病所致的。该检查的结果容易受到患者情绪、环境、紧张的气氛等等因素影响，因此，单凭排粪造影的结果不能做出排便障碍的诊断，还需要有经验的临床医生根据症状、病史和其他检查结果综合分析后才能做出正确的判断。

### 结肠传输试验

结肠传输试验又叫胃肠传输试验，是让患者吞下在X光下可见的标志物，然后每隔一定的时间通过X光对患者的腹部进行照相，以了解这些标志物在肠道内运行的情况以及受到阻碍的地方，从而对便秘的原因做出诊断的一种方法，这种方法基本上没有什么痛苦，但是比较费时。一般在早餐时让患

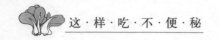

者吞服含有20个标志物的试验餐，定时拍摄腹片，以了解标记物在肠道内运行的速度及分布情况，可计算排出率。正常情况下吞服试验餐后48～72小时，大部分标志物已排出。根据腹部平片上标志物的分布，有助于评估便秘是慢传输型或是出口梗阻型。由于饮食起居等因素的影响，同一病人在不同时间可获得不同的结果，所以对那些经非手术治疗效果不佳而需手术治疗的病人有必要间隔一段时间后进行复查。

### 肛管直肠压力测定

肛管直肠压力测定是指把特殊的压力测定装置放入肛门里面，通过检测直肠肛管内的压力来了解与排便有关的肌肉和器官功能正常与否，以及不同器官之间能否协调一致地工作。比如肛门内外括约肌与直肠肛管的肌肉能否协调工作将大便排出体外等等。同时，这个检查还可以了解直肠肛管一些与排便有关的神经反射功能是否正常，比如直肠肛管抑制反射等。

### 肛门肌电图检查

肛门肌电图检查是指应用电生理技术检测盆腔内与排便有关的一些肌肉的功能，这些肌肉包括耻骨直肠肌、外括约肌等。肛门肌电图检查是把电极放置在患者身体上检测与排便有关的肌肉的电生理活动，有点类似我们平时做心电图，没有什么痛苦，可以方便地帮助我们找到便秘的原因。

### 球囊排出试验

这是一种简单实用的排便功能的筛选方法。具体方法是经肛门将顶端设有球囊的导管插入直肠壶腹部，然后向球囊内注入不同容量的温水或气体，嘱患者将其排出。正常人通常在5分钟内可以很容易排出50毫升体积的球囊，而便秘患者因为直肠感觉敏感性减低，只能排出体积较大的球囊，特别是出口梗阻型便秘，甚至当球囊充至200毫升以上时病人直肠才会产生刺激感觉，将球囊排出体外。该方法主要用于评价患者的排便动力和直肠的敏感性。另外，球囊排出试验还可以作为恢复盆底功能训练方案的一部分。

## ■ 便秘的一般治疗和药物治疗

强调在诊断明确后，医生针对病历进行治疗。没明确诊断的治疗是一种盲目的对症治疗，有遗漏重要病变、延误病情，甚至导致错误治疗的危险。

有人曾提出慢性便秘的治疗目的是：一、恢复正常排便频率和正常粪便稠度；二、解除便秘引起的不适；三、维持适当的排便规律而无须人为的帮助；四、缓解可致便秘症状的原发病。要达到这个目的不太容易，要求医生熟悉排便生理，对患者便秘的病因、病理生理有深刻的了解，正确运用各种治疗方法，以及病人的积极配合，但关键仍是准确诊断。

1.原发病的治疗。

对已查出的原发病，明确诊断后，采用相应的措施进行积极的治疗。如肛裂可局麻扩肛或行内括约肌侧切术治疗；结肠肿瘤则行根治或姑息切除；如系药物所致便秘，则应停服该种药物或改用他种不致便秘的药物；精神病、内分泌代谢病所致便秘应进行相应治疗以尽快消除原发病对肠道功能的影响等。

2.一般治疗。

在原发病一时难以纠正或暂未查出有明显原发因素者，以下一些措施对多数便秘患者有益。

（1）纠正不良饮食习惯

（2）纠正不良排便习惯。忽视便意是女性便秘患者中常见的现象。其中多因早晨忙于家务、急于赶路上班而来不及上厕所，部分则为工作中不便离开岗位而强忍便意。经常忽视便意将影响正常排便反射，导致便秘。坐在便器上看书看报是另一种不良排便习惯，不利于排便反射的连续进行。对于不习惯坐式便器者，改为蹲位排便较有利，因蹲位时，肛管直肠角增大，更有利于粪便通过。对于习惯长期服用泻剂排便者，应立即停止使用泻剂，在医生指导下恢复正常排便习惯。

（3）养成良好的生活习惯。生活起居要有规律，要积极参加体育活动，保持乐观的的精神状态，也可有助于改善消化道的功能。

3.药物治疗。

可用于便秘治疗的药物很多，但多数不适于慢性便秘患者，亦不适宜长期适用。当前，滥用泻药的现象较为普遍，造成不少医源性便秘，临床上应慎重选用。常见的泻剂分以下几类。

（1）刺激性泻剂。系通过刺激结肠粘膜、肌间神经丛、平滑肌，增加肠道蠕动和黏液分泌而发生作用，常见的有大黄、备泻叶、酚酞、蓖麻油等。

大黄、番泻叶含蒽醌，由结肠细菌水解成活性成分后发生作用，仅作用于结肠或远端回肠。大黄口服后6～8小时排出稍软的大便；番泻叶服用后8～10小时引起泻下，如量大，可因刺激太强引起腹痛及盆腔充血，故月经期、妊娠期禁用。蒽醌类可引起"结肠黑变"，即黑色素沉积在结肠黏膜，常发生于用药4～13个月后，停止用药后3～6个月可消失，一般不会引起远期病变。酚酞口服后在肠内与碱性肠液相遇形成可溶性钠盐，对结肠有刺激作用，导泻较温和，服药后4～8小时排出软便。部分由胆汁排泄，肠内再吸收形成肠肝循环，故一次给药作用可维持3～4天。蓖麻油口服后至小肠水解，释放出蓖麻油酸钠，刺激小肠主动分泌过程，减少糖吸收，促进肠蠕动，服药后3～5小时排出稀便。

刺激性泻剂可引起严重绞痛，长期服用可致水电解质紊乱及酸碱平衡失调。当有规律地使用多年后，可引起"泻性结肠"，因难以识别，常被诊断为顽固性便秘而施以更多的泻剂，甚至施以其他不当的治疗。

（2）机械性泻剂。系通过增加粪便的容量或改变粪便的成分以增加结肠推进运动，又可分为下几类：

盐类泻剂

如硫酸镁、硫酸钠，因口服后不易吸收，使肠腔内渗透压升高，阻止了水分的吸收，致使肠内容积增大，肠道扩张而刺激肠蠕动。作用较快，口服后0.5～3小时、直肠给药后5～15分钟发生作用。可用于急性便秘，灌肠则常用于粪便嵌塞，不能长期使用。腹泻剧烈者可致脱水。

膨胀性泻剂（充肠剂）

这种制剂含纤维素，吸水后形成柔软的凝胶，使粪便容易排出，并可刺激肠蠕动。服后一至数天发生作用，无全身作用，可以长期使用，尤在低纤维膳食、妊娠期、撤退刺激性泻剂时为宜。小麦麸皮、玉米麸皮、魔竽淀粉、琼脂、甲基纤维素、车前子制剂等均属此类。服用这类制剂时须注意多饮水；有肠狭窄者，因可引致肠堵塞，应慎用。

软化剂

为表面活化剂，能使粪便中的脂肪与水容易混合，并增加肠道分泌，如辛丁酯酸钠（钙）。通过口服，本身不吸收，但可增加其他物质的吸收，可能与泻剂的肝毒性有关。只宜于短期（1~2周）使用，故不适合用于慢性便秘。

润滑剂

如石蜡油。在肠道中不被消化吸收，可包绕粪块，使之容易排出；同时又妨碍结肠对水的吸收，故能润滑肠腔、软化大便，口服后6~8小时发生作用。长期使用可妨碍脂溶性维生素的吸收。不应与表现活性剂同时使用，以便增加矿物油的吸收。本品还是从肛门漏出，引起瘙痒。只能短期使用，不适于慢性便秘。

高渗性泻剂

因高渗性作用，增加肠腔内压，刺激肠蠕动。甘油直接注入直肠后，由于高渗透压刺激直肠壁引起排便反射，兼有润滑作用，几分钟内可引起排便。乳果糖经结肠细菌代谢为低分子时的酸，降低结肠pH值，增加肠蠕动。

（3）其他泻剂。曾使用过的一些泻剂还有甘汞、芦荟、

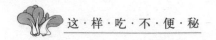

牵牛、巴豆、硫磺等，现已不用。

处理便秘病人时，应熟悉上述泻剂的作用，合理用泻。一般来说，慢性便秘以膨胀性泻剂为主，仅在必要时再使用刺激性泻剂。急性便秘可酌情选用小剂量的盐类泻剂、刺激性泻剂、润滑剂等，但不要超过1周；如超过1周仍不能纠正便秘，应仔细寻找病因。凡有长期滥用刺激性泻剂者，必须逐渐停用，并加服膨胀性泻剂。长期滥用各种泻剂者，停药后用服麸皮制剂，同时多饮水，逐渐恢复规律排便，此过程中，可酌情间断加用少量其他缓泻剂，以帮助平稳过渡。

不少患者自行或按医嘱长期、连续服用各种泻剂，其实一次用泻剂将结肠完全排空后，需3～4天结肠才能重新充满，因此，连续用药是不妥当的。一般泻剂口服后需6～8小时发生作用，故较合理的服药时间应为睡前，这样，次晨起床后或早餐后排便，更符合生理需求。

（4）灌肠。主要适应症是术前肠道准备、粪便嵌塞、急性便秘。温生理盐水较为适宜，因其对肠道刺激小。而肥皂水因对结肠黏膜刺激太大，应避免使用。另外，经常灌肠是产生依赖性，应予注意。

# 巧妙摄食原则

## ■ 一、食用的时间和先后次序

### 不要忽视早餐

营养学专家的实验证明，早餐是一天营养的主要来源，是一天中最不容易转变成脂肪的一餐。而且早餐、午餐和晚餐的比例最好是3∶2∶1，这样子就能让您在一天内所吃的精华在体力最旺盛的时间内消耗掉，人体就能最大极限地吸收营养，不至于因长期吸收不均衡而导致其他疾病的发生。

不吃早餐会导致低血糖，造成精力不集中、情绪低落、反应迟钝。

早餐是启动大脑的"开关"。人体经过一夜的睡眠，前日所吃晚餐已经消耗殆尽，体内血液中的葡萄糖也处于较低的水平，这时如果不吃早餐补充能量，就会使得以葡萄糖为能源的脑细胞"弹药"不足，血糖浓度处于偏低状态，人体

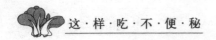 

便会出现疲倦、嗜睡、精神难以集中和记忆力下降的症状。甚至出现低血糖休克，影响正常的学习和工作。

最大的隐患就是驾车一族如果不吃早餐，胃处于空虚状态，血糖水平会持续下降，导致反应迟钝，容易造成交通事故。相关的调查表明，许多车祸的发生都与肇事者血糖水平过低、反应迟钝有着直接的关系。还有研究证实，不吃早餐会让您情绪低落，脾气也比平时急躁，影响工作效率和人际关系。

(O_O)早餐要吃好！！

但是早餐要吃些什么呢？注意以下事项：

1.不吃干硬食品。

一些干硬食品，如窝头、馒头等，难以消化，影响身体吸收。而且这些食物易被黄曲霉毒素污染，而黄曲霉毒素为致癌物质。

2.不吃大量腌制食品和熏烤食品。

咸鱼、酸菜等腌制食品中含有亚硝酸盐，进入胃中即可形成亚硝胺，而亚硝胺是强致癌物。另外，食用酸菜、咸菜等过多也容易致癌。

3.进食不宜过热食品。

经研究发现，过热的食品不仅能诱发食道癌的发生，而且还可能导致胃癌。

4.食物中不可缺乏蛋白质。

蛋白质可帮助修复受损的细胞，有助于提高机体免疫力，故缺乏蛋白质易导致癌变。

5.摄入蔬菜、水果不能过少。

蔬菜、水果摄入量不足则维生素、矿物质和纤维素均不足。特别是维生素C能阻断细胞癌变过程，摄入的蔬菜、水果太少易导致癌变。所有食物的分解、吸收都要靠酶，而几乎所有的蔬菜、水果都拥有大量的酶，但酶在超过54℃的温度时就被破坏了。所以每一餐里，一定要有50%以上的蔬菜

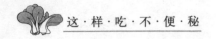

是生食的。

6.吃粗粮。

粗杂食物有助保持大便的通畅，避免毒素久滞肠内。粗粮中富含许多细粮中不具备的维生素及矿物质，可调节人体内环境，使肠内菌群平衡，从而提高机体的抗病力和免疫功能。

7.有益排毒的碱性食物。

平日我们所摄入的食品，如肉、鱼、蛋和谷类等，均属生理酸性，而水果如苹果、柑橘、梨和蔬菜则属生理碱性食品。倘若酸性食品成为您每日进食的主要组成部分，这必将导致您的体液和血液中的乳酸、尿酸含量增加，若不能将它们及时排出体外，就会侵害您的表皮细胞。多吃富含碱性的食物是简单而又疗效显著的排酸美体法。从现在起，您的食谱中的碱性食品如水果、蔬菜等应占80%，而酸性食品如肉类、牛奶、精制面粉食品、咖啡、甜食等只占20%。

## 上午的水果是金

在英国有这么一种说法："上午的水果是金，中午到下午3点是银，3点至6点是铜，6点以后是铅。"

我们所知道的就是水果什么时候吃都没有关系。其实不然，吃水果是有讲究的。同样是吃水果，选择上午吃水果，

∧－∧ 宝贝，水果上午吃最好哦！

对人体最具功效，更能发挥营养价值，产生有利人体健康的物质。这是因为，人体经一夜的睡眠之后，肠胃的功能尚在激活中，消化功能不强，却又需补充足够的各式营养素，此时吃易于消化吸收的水果，可以应付上午工作或学习活动的营养所需。

而且上午吃水果，可帮助消化吸收，有利通便，水果的酸甜滋味，可以让人感觉神清气爽，有助一日的好心情。反之，入睡前吃水果，不利于消化，尤其是纤维含量高的水果，对肠胃功能差的人来说，更是有损健康，凉性的瓜类在

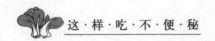

入睡前更应节制食用。

其次吃水果的最佳时段是饭前1～2小时，这样才能将水果的精华吸收。因为肠胃消化食物并不是同时进行，而是按照食物的种类来分次消化，我们的胃需要约4小时来消化蛋白质，脂肪需要最少6小时，水果则只需要1小时。 如果水果和其他食物同吃，我们的胃便会首先分解蛋白质，然后是淀粉，继而是其他食物例如脂肪，水果则会排在最后。而在饭后食用水果，很不科学。人吃饱饭后，食物进入胃内，需要经过1～2小时的消化过程，才能缓慢地从胃中排出。饭后如果立即吃水果，水果会被此前吃下的食物阻滞在胃内。如果在胃内停留时间过长，就会引起腹胀、腹泻或便秘等症状。天长日久，将导致消化功能紊乱。

需要提醒的是，如果正餐的食物富含钙质，比如鱼虾、豆腐等，饭后再吃水果，尤其是含鞣酸较多的柿子、石榴、山楂、葡萄、黑枣等水果，这些钙质就会与水果中的鞣酸结合生成一种坚硬的物质——鞣酸钙。这不仅降低正餐的营养价值，而且还影响胃肠的消化能力，甚至会发生腹胀、腹泻、腹痛、恶心、便秘等不适感觉。

饭前空腹吃水果，也是不科学的。这是因为苹果、橘子、葡萄、桃子、梨等水果中含有大量的有机酸（如苹果酸、柠檬酸、酒石酸等），会刺激胃壁的黏膜，对胃部健康

非常不利。尤其是儿童，饭前空腹吃水果，还会影响正餐的质量。长时间形成习惯，就会由于缺乏营养素而引起营养不良，对儿童的生长发育极为不利。

因此，吃水果最好不要饭前空腹以及饭后立即食用。最好在饭后2小时或在餐前1小时左右吃。另外，鱼虾和水果最好分开食用，至少应在吃鱼虾2小时后再吃水果。选择适合的水果，并注意不要过量食用。

## 食物的分量

于食物的分量，西方有句谚语："早上吃得像个国王，中午像个王子，晚上像个乞丐。"换句话说，早上为掌握一天的情绪和精力，因此要吃非常营养而且很容易消化的食物，如此一来消化良好，白天将保持精力旺盛。晚餐因靠近睡眠时间，不宜吃得太饱、太丰富，而应以简单为原则，尤其很适合以根类为主食。一般而言，早餐多吃新鲜的蔬菜水果，不但易消化吸收，而且纤

早

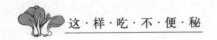
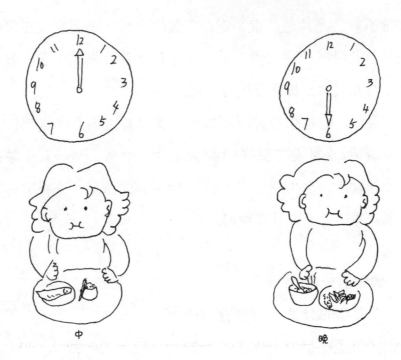

中　　　　　　　　　　　晚

维素含量丰富，对帮助排便是一最好时段。在中午时段是补充食物的最好时机，可多吃高蛋白食物，而且生长在地面的花果、叶菜都是很好的选择。晚上由于是生理修补的时间，一天的消耗体力在此时需大量修补，所以不宜吃太饱，应选择含纤维质和碳水化合物高的食物以帮助消化和睡眠。

### 便秘者的三餐饮食单

专家们为我们开列了保证胃肠畅通的三餐食谱：早餐豆浆、米粥，午餐米饭、馒头交替食用；晚餐青菜为主；饭前喝汤，饭后吃水果。健康三餐的基础上，还要注意食物的调配。单纯素食不可取，咖啡、茶、酒等刺激性食物也要注意节制，多吃些芹菜、韭菜、菠菜、蘑菇等含有大量植物纤维的食物，多吃草莓、香蕉、梨等胃肠易吸收的水果，"粗茶淡饭最养人"，不时地换换口味，用糙米代替精米，这些都可以有效增加肠的蠕动速度，帮助通便。饮食之外，畅快淋漓的运动对胃肠也大有裨益。男士做一做俯卧撑，女士练一练仰卧起坐，清晨跑步，傍晚散步，都能够增加腹肌动力，促进胃肠蠕动。下蹲运动、转腰运动、转呼啦圈、临睡前对腹部进行顺时针的按摩，一定程度上也可以缓解便秘症状。

精神上的调整也是必不可少的。什么升职呀，加薪啊，人际关系呀，工作竞争啊，这些搞得人心烦意乱的事情，尽可以看淡一点，身体最重要。精神状态和健康状态是息息相关的，精神不便秘，身体才能不便秘。

### 不良的生活方式对便秘的影响

现代生活中的许多疾病、不适症状并非外界因素所造成，而与自身不良的生活方式密切相关。早上睡懒觉、一日三餐无规律和无节制地酗酒、吸烟、放纵行为、夜生活无度等都是不良的生活习惯。由于起居无常，人体的生物钟节奏被破坏，大便自然无规律可循，时间长了，失眠、便秘、头昏、疲乏、情绪波动等诸多问题都会接踵而来。

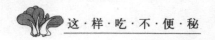

现在，许多父母自己都彻夜不归，或者通宵达旦地打麻将、玩扑克牌。他们的生活习惯对儿童有潜移默化的不良影响，导致不少孩子也与父母一起熬夜看电视、玩电脑游戏等，这样不仅有害于自己的身体，同时给下一代的身心健康埋下了潜在的危机。

不良的生活行为习惯虽然不是病，却是许多现代病的元凶，比如肥胖症、痛风、脂肪肝……真正的疾病可以寻医求药进行治疗，不良的生活习惯一旦形成后却无良药可寻，纠正起来需要极大的毅力，只有靠自己拯救自己。因此，从小养成良好的生活习惯，终身保持良好的生活方式，是健康长寿的基本条件。

### 适时变换衣裤，保证足够饮水

四季变换，气候无常，适时调整所穿衣裤，有助于便秘的预防。众所周知，水能载舟，水与粪便形成，与肠道蠕动密切相关。寒冷干燥的气候，应该及时添加衣物，注意保暖，防止水分从皮肤丢失，同时应多饮水，使肠道润滑，大便通畅。闷热潮湿的季节，应该穿着透气舒适的衣服，避免出汗过多水分丢失，应及时饮水降暑，保持肠道湿润，预防大便结燥。进入有暖气或者安装了空调的场所，应随时注意加减衣裤，适度饮水是预防大便结燥的基本常识。

# ■ 二、特殊禁忌

## 水疗能够治便秘吗

大肠水疗法由医学上的灌肠方法延续而来。将管道由肛门插入一定深度，通过管道将清水（并非用化学药物）注入大肠。适宜温度的清水，可撑开大肠皱襞，溶解、软化肠腔内的宿便，恢复大肠黏膜的分泌功能，刺激结肠蠕动，从而排出肠道及附于肠壁的粪便，具有清洁肠腔和通便的作用。

"水疗能洗去肠道内的陈年残渣。"动听的广告词令不少便秘患者心动并为此加入洗肠热潮！稍有常识或者理性的人们都知道，人体对食物中营养物质的吸收和废弃物的排泄是一个时刻进行着的动态过程，肠壁黏膜不断更新，肠道内的沉积物处于不断产生和排除的动态平衡之中，水疗的洗涤作用可谓杯水车薪，只能解决一时，不可能一劳永逸。

由此可见，大肠水疗对便秘症状的改善确有一定的功效，但其作用有限，水疗仅仅是解决了短时间内的便秘症状，并未能从生理和病理上根除便秘产生的内在因素，因而水疗仅仅是治疗便秘的辅助手段。要彻底治愈便秘还要依靠人们生活习惯、膳食习惯的改善，调节并恢复肠道自身的功能，这才是治疗便秘的长久之策。

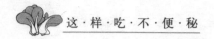

### 经常洗肠的弊端

人体是一个能够进行自我调控的精密有机体，具有强大的维持自我稳态的功能。大肠主要担负的生理功能是吸收水和电解质，并吸收由结肠内微生物合成的维生素B和维生素K。大肠的微生态环境包括各种菌群数量的平衡、酸碱平衡等。肠道微生态环境对于维持细菌的适度生长、食物残渣的分解、促进有益物质的吸收、抑制有害物质的吸收都非常重要。如果频繁地洗肠，会使人体酸碱平衡环境遭到破坏，使肠道的菌群失调，影响维生素的吸收造成维生素的缺乏，在清洗肠腔污垢的同时，人为地造成肠道微环境的失调，从而引起新的问题。并且，洗肠也非人人适宜，患炎性肠病、急性憩室炎、肠道肿瘤、严重痔疮、严重心脏疾患、肾功能不全的病人以及孕妇洗肠有风险。

成人小肠一般长3米左右，主要营养物质在小肠的上1/2部分即吸收完毕，小肠远段主要吸收胆酸和维生素$B_{12}$。当肠道内容物由小肠进入大肠时，已经没有多少可被吸收的营养物质了。大肠长1.5米左右，水疗洗肠所能到达的部位也仅仅限于结肠（大肠），能洗去的只是一些沉积于肠道的毒素和糟粕，不可能洗去未被吸收的营养物质，因此，不可能有减肥的效果。

正常人肠道毒素被吸收以后，机体具有强大的代谢转化和解毒能力，可以通过肝脏的代谢、肾脏的排泄而清除。严重便秘的患者，肠道产生的毒素可被过度吸收。对于年轻人尤其是爱美的女性来说，大便不畅，常与青春痘、黄褐斑联系在一起，所以，大肠水疗特别受到这部分人群的青睐。理论上，大肠水疗法可以清除肠道毒素，以避免其对人体的影响。但人体内的新陈代谢天天进行着，有害物质随时产生，人却不可能频繁地洗肠。因此，大肠水疗的排毒、美容作用也是有限的。真正的排毒养颜方法是保持良好的生活习惯和心态。

### 已病养治篇

便秘是临床常见的复杂症状而不是一种单独的疾病，这即使在健康人群中也是常见的症状。引起便秘的原因复杂而多样。

目前，通常将慢性便秘分为器质性和功能性。前者多是肠管本身存在器质性病变，如肿瘤或肌肉、神经病变，也可能是全身性或代谢性疾病所致的肠管运动异常。而功能性便秘的病因及诱发因素则更为复杂。饮食并不是其唯一的诱发因素，单纯地食用富含纤维素的食物并不能使症状缓解。也就是说，功能性便秘还与精神状态、心理因素、应激状态、滥用泻剂等有关，甚至和排便习惯也有关系。

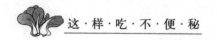

治疗便秘时首先应明确病因。只有针对基础病变的治疗才能使便秘得到真正意义上的缓解。对于继发性或功能性便秘则要从饮食、精神、心理、排便习惯、运动，以及合理使用泻剂等多方面入手，因人因地制定治疗方案。便秘治疗的目的不仅是通便，还应包括恢复正常的胃肠运转和排空，调节粪便质地，解除便秘引起的不适，建立正常的排便规律和排便行为及去除病因等，而不是光凭一剂泻药来解决所有问题。所以，便秘的治疗是一个系统工程。

### 抽烟与便秘

大家都知道抽烟是一种不健康的生活习惯，但是鲜有人知抽烟也和排便有着密切的关系。抽烟和营养过剩、不良生活习惯、压力过大、环境污染都能导致身体呈现酸性体质。原因如下：

我们的身体处于酸碱平衡的情况下是最健康的，而保持酸碱平衡主要是依靠血液缓冲体系、肺的呼吸作用、肾的排泄作用来进行自我调节。

但现代人饮食越来越丰富，特别是高蛋白、高脂肪和高糖类等高能量食物摄入越来越多，这些东西在体内产生了大量的酸性物质。同时，工作、学习和快节奏生活带来了巨大的精神压力，以车代步的现象让人们失去了锻炼机会，这些

都会造成人们的酸碱失衡，出现酸性体质。

　　近年来果菜类的农药污染、化学性食品加工等危害，加上环境污染，空气、水质遭破坏，土壤的酸性化更增强了食物的酸性。同时，爱喝碳酸饮料的人，长期抽烟、喝酒、失眠、作息不规律的人也容易形成酸性体质。

　　喜好抽烟的人们体内好菌数量虽然少，但坏菌也不多，是细菌无法栖息在体内的状态。有些人便秘时只要抽烟就可以顺利排便，但是抽烟会使肠胃受到刺激，所以还是应该戒烟。

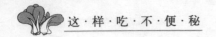
**喝酒与便秘**

不知道从什么时候起，酒成了人们生活中不可或缺的一部分，待客要备酒、喜事要喝酒、亲朋交流要上酒……但是有近七成酒民不懂得健康喝酒。

酒精是酒的主要成分，除此之外，还有水和众多的化学物质。这些化学物质可分为酸、酯、醛、醇等类型。决定酒的质量的成分往往含量很低，但种类却非常多。这些成分含量的配比非常重要。

酒在人体内的吸收无须经过消化系统就可被肠胃直接吸收。酒进入肠胃后，渗入血管，饮酒后几分钟，酒精迅速扩

散到人体的全身。酒首先被血液带到肝脏，在肝脏过滤后，到达心脏，再到肺，从肺又返回到心脏，然后通过主动脉到静脉，再到达大脑和高级神经中枢。酒精对大脑和神经中枢的影响最大。人体本身也能合成少量的酒精，正常人的血液中含0.003%的酒精。血液中酒精浓度的致死剂量是0.7%。

而喝酒过多对便便也是有一定影响的，主要表现为：大便秘结、腹痛胀满、终日不减，按之疼痛、食则胀甚，另有口臭、尿黄、苔黄腻、脉滑实等。患者多因身体阳盛，过多食用辛辣、喝酒而导致肠胃积热。

那么我们就不喝酒或者少喝酒，要喝酒的话也要科学地喝：

就酒的种类来说，首选葡萄酒。因为葡萄酒中维生素含量丰富，并含有锰、锌、钼、硒等微量元素，尤其是酒中所含的白藜芦醇具有降低胆固醇和甘油三酯的作用，其中红葡萄酒中有一种植物色素成分，以抗氧化剂与血小板抑制剂双重"身份"保护血管弹性与血液畅通。常饮红葡萄酒患心脏病的几率会降低一半；其次是黄酒，其中含有18种氨基酸及大量维生素B族，对女性美容、老年人抗衰老更为适宜。

最佳饮酒时间：下午。每天下午两点以后饮酒较安全。上午胃中分解酒精的酶——酒精脱氢酶浓度低，易吸收酒精。空腹、睡前、感冒或情绪激动时也不宜饮酒。

最佳饮量：2～3杯。人体肝脏每天能代谢的酒精约为每

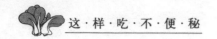

公斤体重1克。一个60公斤体重的人每天允许摄入的酒精量换算成各种成品酒应为：60度白酒50克、啤酒1公斤、威士忌250毫升、红葡萄酒2～3杯。

在喝酒前先吃点饼干、蛋糕等食物，也可以喝一小匙橄榄油以减少酒精对胃肠及肝脏的损害。在就餐前，喝一杯水，可以减少喝酒的量。适量吃点花生可帮助承受酒力。

尽量喝低度酒且慢饮。饮高度酒时，可加水或冰块饮用，但不宜加汽水等碳酸饮料稀释。因为汽水中的二氧化碳和较高的糖分会促进人体吸收乙醇，使人更易醉酒。

边喝酒边喝一些含无机盐和糖分的饮料，除了有水分补给作用之外，还有排除体内酒精的作用。运动型饮料和果汁的"防醉"效果很好，特别是运动型饮料，其成分构成接近人的体液，易被人体吸收，可防止醉得太厉害，对减轻宿醉也有一定作用。

选择正确的佐餐食物。从酒精的代谢规律看，最佳的下酒菜是高蛋白和含维生素多的食物，如新鲜蔬菜、鱼、瘦肉、豆类、蛋类等。吃富含蛋白质的食物，可以减轻肝脏负担。而像咸鱼、香肠、腊肉等菜最好不要用来下酒。因为此类熏腊食品含有大量色素与亚硝胺，与酒精发生反应，不仅伤肝，而且损伤口腔与食道黏膜，甚至诱发癌症。

**依赖药物**

社会上往往存在两种截然相反的人群，前面提到的是漠视便秘的人群，而现在我们讨论的是对便秘过分重视但又缺乏正确认识的人群。某些媒体宣传广告词往往夸大便秘的危害性，误导群众，鼓吹泻药、清热解毒药品或保健品的功效，令部分有便秘症状的患者惶恐不安，使他们滥用泻药、清热解毒药，造成不必要的经济浪费，甚至还出现其他毒副作用。

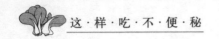
　　我们所说的便秘相关的危害，指便秘可能是引起"青春痘"、口臭、肠道肿瘤、消化道出血、心脑疾病猝死等发生的因素之一，而非唯一的原因。对于有因可寻的便秘，可以通过消除这些因素，促使排便正常。偶尔一次大便干结，排便困难，大可不必惊慌，生活中可以诱发便秘的因素比比皆是，加以纠正便可缓解。慢性便秘患者在衣食住行诸多方面调整以后，仍然不能改善便秘症状者，应该在医生的指导下选择合理的检查，根据每个人自身的情况选择适合自己的泻药。

　　虽然药物可治病，但使用不当、滥用药物或药物本身的不良反应，也经常会成为便秘的因素。影响了肠液的分泌，影响了与内分泌腺密切相关的神经功能，就会引起继发性便秘。

# 附 录

## ■ 解除便秘的运动法

便秘的保守治疗方法中，除饮食疗法，还有情志调养、良好生活习惯、药物等治疗法。运动治疗也常常可以取得满意的疗效。

首先，体力活动可促使结肠蠕动，加快肠内容物的推进，有利于排便。

其次，生活经验告诉我们，经常从事运动锻炼的人，很少便秘。排便需要腹肌、隔肌、肛提肌的力量，以增加腹部内压，从而排出粪便，因此增加腹肌力量的活动，如进行腹式呼吸，有利于粪便的排出。对长期坐办公室的人或长期卧床不起的人，更需要加强运动。最简单的活动有散步、步行、慢跑、上下楼梯、做某些家务活、打拳、双手的腹部按摩、提肛运动等，这些活动不受场地、时间、环境的限制，随时随地可做。有条件的可选择自己喜欢的活动项目，如打球、游泳、跳交谊舞等，这些活动可使呼吸加深，促使膈肌上下运动加强，腹壁肌肉收缩，改善腹内压，促进结肠蠕动。

### 1.科学选择运动量

活动量太少，达不到锻炼的目的；而活动量太大，则容易造成运动性伤害。所以应根据自己的年龄、性别、体力状况、体育基础、生活环境等来选择最佳的运动量。目前流行的比较简单的方法叫"靶心率"测定法，其方法如下：对于大多数没有明显疾病的人来说。可以把最大心率的65%～85%确定为靶心率范围，即靶心率（次/分）＝（220－年龄）×65%（或85%）。比如年龄为40岁的健康成人，其最大运动靶心率（次分）为220－40＝180，即适宜运动靶心率（次/分）的下限为180×65%＝117；上限为180×85%＝153。即该成年人日常锻炼时的靶心率范围为117～153 。但是对于50以上并伴有不同程度慢性病史的老年人来说，靶心率＝117－年龄，也就是说要降低运动强度，避免锻炼对心脏造成过重的负担，以防出现危险（如加重病情，甚至引发严重心脏疾患）。运动持续时间的长短对锻炼效果有很大影响。一般情况下，每次锻炼持续时间以15～60

分钟为宜，其中保持或维持靶心率（上限）的锻炼时间为15分钟左右，其余时间都可以采用适当低心率上限的强度进行。

体育科学家推荐的三种中等强度的运动和运动持续时间的组合，可借鉴自己掌握。30分钟的70%～80%靶心率的运动；30分钟的60%靶心率的运动；60分钟的50%靶心率的运动。也就是说，如果采用靶心率强度较大的运动的话，要适当缩短运动持续时间，反之持续时间可稍长，也可在几分钟的激烈运动后，穿插一段缓和运动，然后相互交替，以收到良好的锻炼效果。

### 2.我国传统医学及民族运动法

气功　气功能够保健，调节人体机能，且能健身治病。因为，气功主要通过对人神经和内脏系统起到有益的调节作用，能针对机体的异常反应加以纠正，通过双向调节，增加机体的抗病能力，达到扶正祛邪的目的。

练功后应达到能够使人心情舒畅，神清气爽，消除烦恼，坚定意志，周身轻松，促进大脑神经系统和植物神经系统及全身脏器的功能失调趋于平衡状态。特别是气功的特殊呼吸法对腹腔器官是一种有节律师的"按摩"，可使胃液分泌增加，膈肌活动范围比平时增加3～4倍。腹腔内发生周期性变动，从而可促进胃肠蠕动，调节腹部脏器功能，改进内分泌

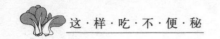

的调节，食欲大振，腹部舒适，大便通畅。

气功流派甚多。各种气功基本上有三个环节，即调身、调心、调息。具体讲就是调整体姿，调整心情，调整呼吸。其中由养气功、强壮功能有利于排便，也有利于其他消化系统疾病如慢性胃炎、胃下垂等防治。

**拳种锻炼**　太极拳、八卦、形意拳、大成拳等是中华民族的传统健身、锻炼的国粹，深受广大群众欢迎，这类拳种动静结合、刚柔并济、形如流水、连绵不断，尤其适合中老年人。

**推拿**　具有良好的保健的防病、治疗功能。有研究证实，推拿可促进机体的血液循环，尤其对卧床不起的病人，可延缓废用残损肌肉萎缩发生时间，特别对腹部、腰部的按摩，可促进排便。

**针灸**　此疗法通过刺激穴位，振奋经络之气，联系全身内外，使气血调畅，脏腑功能协调，从而起到防病治病的目的。针灸治疗便秘有多种方法。例如：独用或联用体针、身针、梅花针、灸法等方法，对便秘都能起到满意的治疗效果。经常针刺天枢、中脘、足三里、内关等穴，可以调整肌肠功能，有防治功能性便秘的作用。

通过以上锻炼和独特的治疗，使您的便秘彻底根除。

## ■ 解除便秘的呼吸法

正常人一分钟大约呼吸16～20次，依此估计，一天则约呼吸两万六千次左右。可是由于大部是浅呼吸，所以肺脏未能全部利用，体内的污浊空气未能全部排出。为了让这些气体排出，有必要做深呼吸，尤以腹式呼吸更佳。

只要肺部充满新鲜的空气，即可供足够的氧气给全身，加强体内的一切机能。腹式呼吸不仅能够加深呼吸，更重要的是通过腹式呼吸锻炼了腹部肌肉，使腹内脏器得到充分运动，刺激腹内各脏器的活力，促进各脏器功能的协调。同时也能刺激腹内的神经丛，改善失常的神经节律，从而能治疗便秘。其具体方法如下：

（1）无论坐、卧、立等姿势均可行，尽量取舒适的体位，全身放松后稍稍撅起嘴慢慢地呼气，将肺部的空气呼完后，再收缩腹部把残气尽量呼出。

（2）气呼出后稍稍屏息，然后放松全身，自然地把空气吸入肺部，这时要膨胀腹部，让空气尽可能多地充满肺部。如此反复练习。

（3）上述顺式腹式呼吸练习熟练后，可进行逆式腹式呼吸，即在吸气时收缩腹肌，让空气全部集中在肺部，呼气时则膨胀腹部，使空气充满腹部。这样能更好地刺激腹内脏

器，但一般情况下还是多练顺式腹式呼吸。

腹式呼吸随时随地皆可做，请有机会就练习。

## ■ 解除便秘的按摩法

便秘的经历相信很多人都有过，虽然它看似一个小毛病，但却给生活带来了不少烦恼。中医认为，导致便秘的原因很多，归纳起来为燥热内结、津液不足、情绪波动、气机郁滞以及过度疲劳、身体虚弱、气血不足等。有的人因患慢性便秘长期依靠药物通便，给身心带来极大伤害。您不妨巧用双手，坚持以下的自我按摩法，相信能起到安全通便的作用。

（1）**推揉腰骶部** 坐于床上，两手五指并拢，反手以掌根附于同侧的腰骶部，适当用力自上而下地推擦30～50次，直至腰骶部发热。

（2）**按揉肾俞穴** 同上坐姿，两手叉腰，拇指向前按于同侧肋端，中指按于肾俞穴，适当用力按揉30～50次。

（3）**揉按足三里穴** 坐于床上，两膝关节自然伸直，用拇指指腹按在同侧的足三里穴上，其余四指紧附于小腿后侧，拇指适当用力按揉30～50次。

（4）**按揉天枢穴** 同上卧姿，双手叉腰，中指指腹放在同侧的天枢穴上，大拇指附于腹外侧，中指适当用力按揉30～50次。

（5）**掌揉中脘穴** 仰卧于床上，双腿自然伸直，将右手掌心重叠在左手背上，左手的掌心紧贴于中脘穴上，适当用力按揉30～50次。

（6）**推腹外侧** 同上卧姿，两手分别放在同侧的腹外侧，以掌根从季肋向下推至腹股沟，反复做30～50次。

（7）**团摩脐四周** 同上卧姿，将右手掌心重叠在左手背上，左手掌心放于肚脐旁，适当用力，绕脐作顺时针圆形摩动30～50次。

（8）**拿捏腹肌** 同上卧姿，用拇指与其余四指用力对合，边拿边捏腹部肌肉30～50次，双手可同时进行。

（9）**按揉关元穴** 同上卧姿，用一手拇指指腹放在关元穴上，适当用力按揉30～50次。

（10）**团摩下腹部** 用右手掌心重叠于左手背，左手掌心紧贴于下腹部，适当用力作顺时针圆形摩动30～50圈，以皮肤发热为佳。

以上的自我按摩法能调理肠胃功能，锻炼腹肌张力，增强体质，尤其适于慢性便秘的人。但必须坚持早晚各按摩一遍，手法应轻快、灵活，以腹部为主。此外，还应注意饮食要适量，多食蔬菜、水果，养成每天定时排便的习惯。

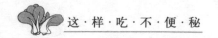
小知识：

肾俞穴：位于第二腰椎棘突下，旁开1.5寸处。

足三里穴：位于外膝眼下3寸，胫骨外侧约1寸处。

中脘穴：位于腹中线，脐上4寸处。

天枢穴：位于肚脐旁开2寸处。

关元穴：位于腹正中线，肚脐下3寸处。

## ■ 解除便秘的通便食物

具有补血养血、润肠通便作用的食物有：猪肉、鸭肉、牛奶、鸡蛋、燕窝、黑木耳、银耳、海参、红枣、龙眼、荔枝、葡萄、花生、松子、芝麻、桃、红糖、胡萝卜、菠菜等。慢性便秘者可适当选用南瓜、梨、酸奶、杨梅、茄子、空心菜、茼蒿、青菜、青竹笋、花椰菜、藕、地瓜、海带、羊栖菜、香菇、银耳、麻油、饴糖（麦芽糖）、首乌等。

下面推荐几则可以帮助排便的食疗方。

（1）蜂蜜　饮取蜂蜜适量，用开水冲服，可常饮用。

（2）米饮蜜蛋花　取热米汤1碗，蜂蜜20毫升，鸡蛋1个，先将鸡蛋打破倒入碗中，加入蜂蜜后将鸡蛋搅成蛋浆，冲入热米汤，再用碗盖15分钟后即成。每日早晨冲服一次。

（3）芝麻粥　取黑芝麻仁10克，粳米250克，蜂蜜适量。

将粳米加水煮至八成熟时，放入炒熟的黑芝麻仁、蜂蜜，拌匀后，煮至米烂粥成。每日2次，早晚餐食用。

（4）红薯粥　取红薯150克，白米适量。将红薯洗净去皮，切成小块状后，与白米加水共同煮成粥。每日2次，早晚餐食用。

（5）核桃仁粥　适宜阳虚便秘者使用。核桃仁30克，研成膏状，注入50毫升热水拌匀滤汁；籼米50克煮粥，米熟烂后将核桃汁加入再煮，待无核桃生油气后即可，热食。

（6）百合粥　取百合250克，蜂蜜适量。将百合加适量清水煮烂成糊状，加入蜂蜜拌匀后食用，每日1次。

（7）马铃薯　马铃薯适宜习惯性便秘之人食用。将马铃薯洗净后切为薄片，放入搅拌机内搅成糊状，用消毒纱布绞汁，每早空腹及午饭前各服半玻璃杯。

（8）蜂蜜猪油　猪油100克，蜂蜜100克。猪油放入搪瓷杯内，加蜂蜜，用文火烧沸后，停火晾凉。口服，每次一汤匙，每日2次。治肠燥便秘。

（9）核桃　核桃适宜大便燥结之人服食。用核桃仁、黑芝麻各500克，炒后共捣烂研碎，早、晚空腹用少许蜂蜜调服，既可补养身体，又治习惯性便秘。也可单用核桃肉30~50克，同粳米煮粥，早、晚食用。

（10）香蕉　香蕉能清热、润肠、解毒，适宜热性便秘

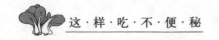 

和习惯性肠燥便秘之人服食。以香蕉生食，每日2～3次，每次2根。

## ■ 解除便秘的情绪解压法

便秘的发生有多种原因，但其中一个重要的因素就是与人的情绪有关。研究发现，便秘患者中有70%的人都有情绪障碍。长期精神紧张不安、忧郁焦虑、沮丧恐惧的情绪，都能通过神经系统而引起胃肠动力性疾病和功能紊乱。许多学生可能有这样的经历，考试前精神紧张，反复跑厕所，却解不出大便。工作紧张、竞争压力、失恋、亲人去世等情绪不稳或心境恶劣的状况下，自主神经功能紊乱，就会出现不思茶饭、彻夜难眠、排便不畅的情形。当情绪恢复正常或引起情绪变化的原因消除后，食欲、睡眠和大便也随之恢复正常。因此，积极调整个人的情绪，经常保持乐观豁达及稳定的情绪，合理安排工作、学习、生活的节奏，创造和谐的气氛，保持愉悦的心情，减少工作压力，注意劳逸结合，提高社会心理适应能力，以应对各种应激情况，对缓解便秘来说至关重要，这也是现代人生存必备的心理素质。

变换环境出去旅游，与亲朋好友聊天，倾诉发泄烦恼，看电影或电视，读书听音乐……可以根据每个人自己的条件选择上述提及的减压、转移注意力、释放的方式以预防和排解情绪困惑。健康的情志活动是维持正常胃肠道功能，预防身心疾病的保障。